RUSLAN RUSSIAN 1 A1

A communicative course for beginners in Russian

John Langran and Natalya Veshnyeva

Ruslan Limited
www.ruslan.co.uk

Ruslan Russian 1 fifth edition, 2012
ISBN 9781899785827
Published in the UK by Ruslan Limited
www.ruslan.co.uk

© 1995, 1997, 2001, 2005, 2008, 2012 Ruslan
© for the cartoons at the start of each lesson Anna Lauchlan
Additional cartoons by Piers Sanford

UK book trade distribution by Bay Foreign Language Books Limited
www.baylanguagebooks.co.uk

Errata
Any errors or amendments will be listed on the Ruslan website at:
www.ruslan.co.uk/errata.htm

Ruslan 1 fifth edition textbook   ISBN 9781899785827
Ruslan 1 fifth edition textbook with audio CD ISBN 9781899785834
Ruslan 1 fifth edition audio CD only   ISBN 9781899785841
Ruslan 1 workbook with audio CD   ISBN 9781899785223
Ruslan 1 CD-ROM   ISBN 9781899785087
Ruslan 2 and 3 continue the course to intermediate and advanced levels and the
Ruslan Russian Grammar brings together the grammar for all three levels.

www.ruslan.co.uk

RUSLAN RUSSIAN 1

КАРТА РОССИЙСКОЙ ФЕДЕРАЦИИ
MAP OF THE RUSSIAN FEDERATION

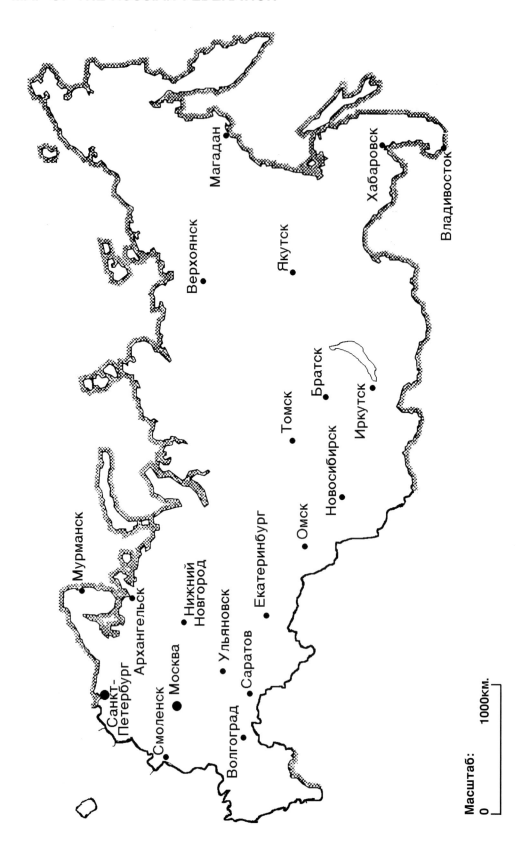

Магадан

Хабаровск

Владивосток

Верхоянск

Якутск

Братск

Иркутск

Томск

Новосибирск

Омск

Екатеринбург

Мурманск

Архангельск

Нижний Новгород

Ульяновск

Саратов

Волгоград

Москва

Санкт-Петербург

Смоленск

Масштаб:

0   1000км.

People expect Russian to be a difficult language to learn, and to some extent this is true. If English is your mother tongue you will find fewer familiar words and more new grammatical concepts in Russian than in most other European languages. It is worth the extra work, as Russian provides a gateway to a fascinating and important country and culture and to other Slavonic languages as well.

Ruslan Russian 1 has been written by experienced teachers of Russian to adults and young people. The method maximises the enjoyment of learning a language, while giving a thorough grammatical and structural introduction in a practical and communicative context.

The course can be used by people learning in groups with a teacher, and there are a large number of group activities and language games. It will also be useful to people learning on their own, especially when used alongside the Ruslan 1 Student Workbook and / or the CDRom version of the course.

Ruslan Russian 1 has been regularly improved and updated since it was first published in 1995. This fifth UK edition combines an update of the fourth edition with material from the Ruslan 1 Reader, resulting in a format that is identical to the 2008 North American edition of Ruslan 1.

Ruslan Russian 1 more than satisfies the requirements for the Council of Europe A1 assessment for language learners.

John Langran put the course together. He studied Russian at Sussex University and taught in Birmingham, where he was head of Brasshouse Centre, Birmingham's language centre for adults. He was author of the BBC Russian Phrasebook (1995), and later worked in several universities and colleges in European Russia and in Siberia as Director of Studies for Pitmans for the Prime Minister's Business Enterprise Initiative.

Natalya Veshnyeva, who wrote most of the Ruslan dialogues, was born and grew up in Moscow. She is a graduate of the Moscow Pedagogical Institute. Natalya has taught Russian at several different schools and adult education centres in the UK.

Vassily Bessonoff produced additional material and acted as adviser for the North American edition of Ruslan 1. He has degrees in linguistics from the Universities of London and Saint Petersburg and is a fellow of the Institute of Linguists. Vassily has taught Russian in the US since 1994 at a wide range of government agencies and universities.

Acknowledgements

Photos are by Stef de Groot, David Harmer, John Langran, Alexandra Menshikova, Jonathan Madden, Wikipedia and others. Additional artwork is by Piers Sanford. Jelena Jefremova provided the handwriting examples.

Thanks to Olga Bean, Katie Costello, Emma Lamm, Alexandra Menshikova, and Sergey Kozlov for their help checking the dialogues and exercises, to Andrew Jameson, Tanya Nousinova and Marina Strain for their corrections, and to all those who have made useful comments.

Thanks to artists of the Rossica Choir of Saint Petersburg who recorded the main dialogues, to Sergey Kozlov, Mikhail Kukushkin and Alexandra Menshikova for some additional recordings, to Nadezhda Bragina, Valery Polyakov and L.M. O'Toole for their songs, and to Brian Savin for the audio production of the dialogues.

Screen shots from the Ruslan Russian 1 CDRom

Ruslan CDRoms are fully functional with Windows 98, XP, 2000, etc. They work well with Windows 32-bit Vista, although sometimes the fonts may need to be installed manually. Windows 64 bit users may have to use XP emulation which, depending on your version, is a free download from the Microsoft website.
For more information please refer to www.ruslan.co.uk/troubleshooting.htm.
You can download the first lesson free from www.ruslan.co.uk/demos.htm for testing.

RUSLAN RUSSIAN 1   A SUMMARY

Ruslan Russian 1 more than satisfies the requirements for Council of Europe foreign language assessment at A1 level.

The alphabet introduction describes the sound of each letter and gives examples with international words for easy recognition.

The ten lessons include:
- a list of contents for you to check your progress.
- a cartoon to introduce new vocabulary and also useful for practising questions and answers, and for revision.
- dialogues to introduce new vocabulary and structures, following the adventures of Ivan, Vadim, Lyudmila and her family and friends.
- lists of new words in the order in which they appear.
- background information in English.
- grammar explanations.
- exercises based on the new language.
- reading exercises with authentic material.
- writing exercises to reinforce the grammar points.
- listening exercises with texts printed at the back of the book.
- speaking exercises with role-play situations and suggestions for pair work and language games.
- reading texts extending the main story-line.
- translation exercises.
- some songs and poems for learners.

At the end of the book you will find the texts of the listening exercises, a summary of the grammar covered in the course, a pronunciation guide and Russian to English and English to Russian dictionaries.

Teachers notes, tests and work sheets linked to the course are free for teachers. Please go to www.ruslan.co.uk/teachers.htm. You will need a user name and password from Ruslan Limited.

Support for learners and and a key to the exercises are at www.ruslan.co.uk/ruslan1.htm

The Ruslan 1 Audio CD contains recordings of the Alphabet Introduction, all the dialogues, the listening exercises, texts, songs and poems.

Ruslan Russian 1 Workbook
203 exercises to support Ruslan Russian 1. These can be used for individual learning or by groups with a teacher. Teachers may want to use the exercises orally in class, or for tests or for homework.

Ruslan Russian 1 CDRom
A full multimedia version of the Ruslan 1 course with 285 interactive exercises with sound and feedback, and including video exercises. This program has won a UK DTI award for Language Excellence.

CONTENTS СОДЕРЖАНИЕ

Cyril and Methodius 11
Stress in Russian 11
The Russian alphabet 12
Letters in words. Handwriting 14

Lesson 1 - АЭРОПОРТ - The airport 16
No word for "the" or "a"
No verb "to be" in the present tense
How to ask a question by raising your voice
Masculine and feminine nouns
The possessive pronouns мой and моя, ваш and ваша
The personal pronouns он and она
Information: Moscow
Reading: Igor at Pulkovo Airport, Saint Petersburg
Song: «До свидания!»

Lesson 2 - УЛИЦА - The street 30
я знаю and вы знаете - "I know" and "you know"
The prepositions в and на meaning "to" a place
Imperatives: Скажите! Идите! Извините! Читайте!
Neuter nouns. The personal pronoun оно
The use of есть - "there is"
Numbers 0-10
Information: Arbat. Bulat Okudzhava
Reading: Igor in Saint Petersburg
Photo gallery: Moscow and Saint Petersburg

Lesson 3 - СЕМЬЯ - The family 44
The genitive singular of masculine and feminine nouns
The genitive of pronouns я, вы (меня, вас)
Spelling rule for the letters ы and и
The genitive to express "of", after prepositions, after negatives
and after numbers 2, 3, 4
Forms of один and два
можно - "you may", "it is possible" and нельзя - "you may not"
Information: Russian names
Reading: Антон и Вера

Lesson 4 - ГДЕ ВЫ БЫЛИ? - Where were you? 56
The use of ты and вы - two forms of "you"
The prepositional singular with в and на meaning "at" a place
Recognition of infinitives
Introduction to the past tense
The full present tense of знать - "to know"
Numbers 10-100. Months of the year
Information: Russian national holidays
Countries and languages
Reading: У Антона и Веры
Song: «Из аэропорта как поедем ... ?»

Lesson 5 - ГОСТИНИЦА - The hotel   **70**
The preposition с with the meaning "since"
Short adjectives: откры́т - "open" and закры́т - "shut"
The present tense of говори́ть - "to speak"
Note on imperfective and perfective verbs
The constructions у меня́ and у вас used for "I have" and "you have"
The days of the week
Information: Hotels in Russia. GUM - The Main Department Store
Reading: Игорь в Новосиби́рске. Гости́ница «Новосиби́рск»

Lesson 6 - РЕСТОРАН - The restaurant   **82**
The verbs хоте́ть, идти́ and the imperatives да́йте, принеси́те
More about neuter nouns
The accusative singular of nouns
Adjectives in the nominative case
The word for "which" - како́й
Information: Russian Food. A.S.Pushkin
Reading: Игорь и Не́лли в рестора́не

Lesson 7 - О СЕБЕ - About oneself   **94**
The preposition о - "about" - taking the prepositional case
Masculine and feminine nouns ending in a soft sign
Neuter nouns ending in -мя
Impersonal constructions: интере́сно
Nouns ending in -ция
Numbers above 100
Information: The river Volga
Reading: Жизнь Не́лли
Song: «Люблю́ я борщ»

Lesson 8 - ВРЕМЯ - Time   **107**
The time in whole hours
The nominative and accusative plural of nouns and adjectives
Short adjectives in the plural
The genitive plural of masculine nouns
The verb мочь - "to be able to"
Information: Using the telephone in Russia
Reading: У Игоря нет де́нег

Lesson 9 - ТЕАТР - The theatre   **120**
Reflexive verbs in the present tense
The dative singular of nouns
The verbs люби́ть - "to love" - and нра́виться - "to please"
The verb игра́ть with в and the accusative - "to play a sport"
The use of раз - "a time"
Information: Snegurochka
Reading: В теа́тре
Song: «Конце́рт»

Lesson 10 - ДОМ - The house   **132**

The instrumental singular of nouns
The spelling rule for the letter o
The genitive plural of feminine and soft sign nouns
The genitive plural of masculine nouns ending in -ж, -ч, -ш or -щ
Masculine nouns with the prepositional ending in -ý or -ю́
The verb игра́ть with на and the prepositional - "to play an instrument"
The verbs спать - "to sleep", петь - "to sing" and пить - "to drink"
The declension of personal pronouns
The accusative after спаси́бо за - "thankyou for"
Information: Housing in Russia
Reading: На да́че

Song: «Степь да степь круго́м»   **146**

Texts of the listening exercises   **147**
Grammar Reference   **150**
Russian Pronunciation   **154**
Russian Punctuation   **155**
English to Russian Dictionary   **156**
Russian to English Dictionary   **166**
Ruslan Russian materials   **176**

Key to the exercises   **www.ruslan.co.uk/ruslan1.htm**
Internet support for learners   **www.ruslan.co.uk/ruslan1.htm**
Internet support for teachers   **www.ruslan.co.uk/teachers.htm**

Items marked (♺)₂ are recorded on the CD. The number is the number of the CD track.

For items marked (♺)www there are additional recordings at www.ruslan.co.uk/ruslan1.htm

For items marked www you will find additional information or an additional exercise at
www.ruslan.co.uk/ruslan1.htm

Abbreviations used:			
nom.	Nominative	m.	Masculine
acc.	Accusative	f.	Feminine
gen.	Genitive	n.	Neuter
dat.	Dative	pl.	Plural
instr.	Instrumental	adj.	Adjective
prep.	Prepositional	и т.д.	etc.
imp.	Imperfective		
perf.	Perfective		

Cyril and Methodius

Russian uses the Cyrillic alphabet, which is named after Cyril and Methodius, two Greek holy men, now Saints. In the 9th century AD, Cyril and Methodius created an original alphabet called "Glagolitic", as part of a mission to convert the Slavic tribes to Christianity. The Cyrillic alphabet then evolved from this Glagolitic alphabet, with some additional influence from Greek and Hebrew.

The Cyrillic alphabet was amended at the time of Peter the Great and some more small changes were made by Lenin in the 1920s.

During the time of the USSR, the Cyrillic alphabet was obligatory in all the Soviet Republics. Today it is used in Russia, and, with a few minor differences, in Ukraine, Belarus, Bulgaria and Serbia.

Cyril and Methodius

STRESS IN RUSSIAN

You do not need perfect pronunciation to be able to get by in basic Russian. However, if you want to progress beyond beginner level you should try to pronounce the words as correctly as you can.

Russian pronunciation depends on the stress. In words of more than one syllable there is a stressed vowel which is pronounced more strongly than the others. This stressed vowel is marked with an acute accent.

For example, the stress in the word for "wine" is on the last syllable - **вино́** - "veenoh". But in the word for "problem" - **пробле́ма** - the "**о**" is unstressed and therefore reduced. It sounds more like the English "a" in "about".
(For the pronunciation of **вино́** and **пробле́ма** use the Alphabet Introduction of the CDRom or audio CD, or check with your teacher.)

Stress is usually unpredictable, although there are some patterns. If you are a beginner it is best to learn the stress for each new word. When you go to Russia, or when you read original Russian texts or newspapers, the stress will not be marked for you. You need to learn it.

There is some more detailed help with pronunciation on page 154.

THE RUSSIAN ALPHABET

The Russian alphabet has 33 characters: 21 consonants, 10 vowels and 2 phonetic signs.

Six letters are similar in Russian and English.

а   е   м   т   о   к

Examples in words:

átом   тéма   мáма   комéта   какáо   такт

Six letters are "false friends". They look like English letters, but their sounds are different.

в   н   р   с   у   х

торт   кácca   ананáс   хор   сóус   самовáр

The remaining letters are unlike English letters.

б   г   д   ё   ж   з   и   й   л   п
ф   ц   ч   ш   щ   ы   э   ю   я

банáн   маргарин   виза   рáдио   репортёр
журналист   зéбра   кинó   май   салáт
суп   телефóн   цемéнт   чемпиóн   шоколáд
борщ   Крым   эффéкт   юрист   áрмия

The two phonetic symbols (the soft sign ь and the hard sign ъ) have no sound of their own. The soft sign ь has the effect of softening the previous consonant. The hard sign creates a buffer between a hard consonant and a soft vowel.

картóфель   объéкт
(potatoes)

wine
petrol
chocolate
Red Square

?

The sounds of the letters in alphabetical order

А а stressed: "a" in "father", unstressed: "a" in "about".

Б б "b" in "bit". Sounds like "p" at the end of a word.

В в "v". Sounds like "f" at the end of a word.

Г г "g" in "gate". Sounds like "k" at the end of a word.

Д д "d". Sounds like "t" at the end of a word.

Е е stressed: "ye" in "yes", unstressed: "i" in "bit".

Ё ё "yo" - always stressed. Often hardened, as in "Горбачёв".

Ж ж like the "s" in "pleasure".

З з "z" in "zip". Sounds like "s" at the end of a word.

И и like "ee" in "eel".

Й й like the "y" in "boy".

К к "k" as in "kill".

Л л "l" as in "ball".

М м "m" as in "man".

Н н "n" as in "new".

О о stressed: "o" as in "for", unstressed: "a" in "about".

П п "p" as in "pan".

Р р a rolled "r".

С с "s" as in "sit".

Т т "t" as in "pat".

У у like the "oo" in "zoo".

Ф ф "f" as in "far".

Х х like the "ch" in the German "ach" or the Scottish "loch".

Ц ц like the "ts" in "hats".

Ч ч like the "ch" in "child".

Ш ш "sh" as in "sheep".

Щ щ long "sch" as in "borsch". Try to say "ee", keep your tongue in the same place, and say "sh" instead.

Ъ ъ "hard sign" - quite rare and has no sound of its own. Used to separate a consonant from a soft vowel.

Ы ы There is no equivalent in English. Start with "i" as in "bit", and then move your tongue lower and backwards.

Ь ь "soft sign". Has no sound of its own. It has the effect of softening the preceding consonant.

Э э stressed: a hard "e", like the "e" in "when". Unstressed like "i" in "bit"

Ю ю a soft "u", like the first "u" in "usual". (yoo)

Я я stressed: "ya" in "yak", unstressed: more like the "a" in "about".

> Listen to the CD for the exact sounds of the letters!
>
> For additional explanations see page 154.

HANDWRITING. LETTERS IN WORDS

Letter	Example	Handwritten			Translation
А а	áтом	*А*	*а*	*атом*	atom
Б б	багáж	*Б*	*б*	*багаж*	luggage
В в	винó	*В*	*в*	*вино*	wine
Г г	грамм	*Г*	*г*	*грамм*	gram
Д д	дóктор	*Д*	*д*	*доктор*	doctor
Е е	éвро	*Е*	*е*	*евро*	evro
Ё ё	ёлка *xmas party*	*Ё*	*ё*	*ёлка*	New Year tree
Ж ж	журнáл	*Ж*	*ж*	*журнал*	journal
З з	зоопáрк	*З*	*з*	*зоопарк*	zoo
И и	идéя	*И*	*и*	*идея*	idea
Й й	йóгурт	*Й*	*й*	*йогурт*	yoghurt
К к	крúзис	*К*	*к*	*кризис*	crisis
Л л	лáмпа	*Л*	*л*	*лампа*	lamp
М м	меню́	*М*	*м*	*меню*	menu
Н н	ноль	*Н*	*н*	*ноль*	zero
О о	óпера	*О*	*о*	*опера*	opera
П п	проблéма	*П*	*п*	*проблема*	problem
Р р	рубль	*Р*	*р*	*рубль*	rouble
С с	спорт	*С*	*с*	*спорт*	sport

Т т	такси́	*Т т такси*	taxi
У у	у́лица	*У у улица*	street
Ф ф	футбо́л	*Ф ф футбол*	football
Х х	хокке́й	*Х х хоккей*	ice hockey
Ц ц	царь	*Ц ц царь*	tsar
Ч ч	чай	*Ч ч чай*	tea
Ш ш	шокола́д	*Ш ш шоколад*	chocolate
Щ щ	щи	*Щ щ щи*	cabbage soup
Ъ ъ	объе́кт	*ъ объект*	object
Ы ы	му́зыка	*ы музыка*	music
Ь ь	контро́ль	*ь контроль*	control
Э э	экспе́рт	*Э э эксперт*	expert
Ю ю	ю́мор	*Ю ю юмор*	humour
Я я	я́блоко	*Я я яблоко*	apple

The letter ы and the signs ь and ъ are not used at the beginning of a word.
The letter й is only used together with a vowel.

The stress marks and the dots over the letter "ё" are not normally used in authentic Russian texts.

In handwriting, there are two versions of the letter "т" - *m/т* .

Some letters that are "tall" letters in English, for example "k", "l", are "short" in Russian: *к* , *л* . They occupy just half the height of the line.

> For more practice of the letters, use the Ruslan 1 Workbook.

In *л* , *м* , *я* the "hook" at the start of the letter is clearly defined.

Some letters can be quite different in upper and lower cases.

Ivan and Lyudmila meet on the plane from London and then arrive at Moscow Sheremetyevo airport.

You will meet a number of words associated with travel and the airport, and some basic questions and answers.

You will learn that:
- ❏ the Russians have no word for "the" or "a"
- ❏ the verb "to be" is not used in the present tense
- ❏ you can ask a question by changing the intonation.

The grammar includes:
- ❏ some masculine and feminine nouns
- ❏ personal pronouns:

| я | - | I | вы | - | you |
| он | - | he or it | она́ | - | she or it |

- ❏ possessive pronouns:

мой (masculine) / моя́ (feminine) - my or mine

ваш (masculine) / ва́ша (feminine) - your or yours

You will learn:
- ❏ to read some notices at a Russian airport and to understand some place names
- ❏ to write some Russian letters and to write your name.

There is some basic information on Moscow. The reading passage is about Igor at Pulkovo Airport in Saint Petersburg, and there is a song for learners «До свида́ния!»

The **Ruslan 1 workbook** contains 19 additional exercises for this lesson, including 3 listening exercises.
The **Ruslan 1 CD Rom** contains 23 additional exercises with sound. Lesson 1 is a free download from:
www.ruslan.co.uk/demos.htm

Is this the fast or the slow bus to the airport?

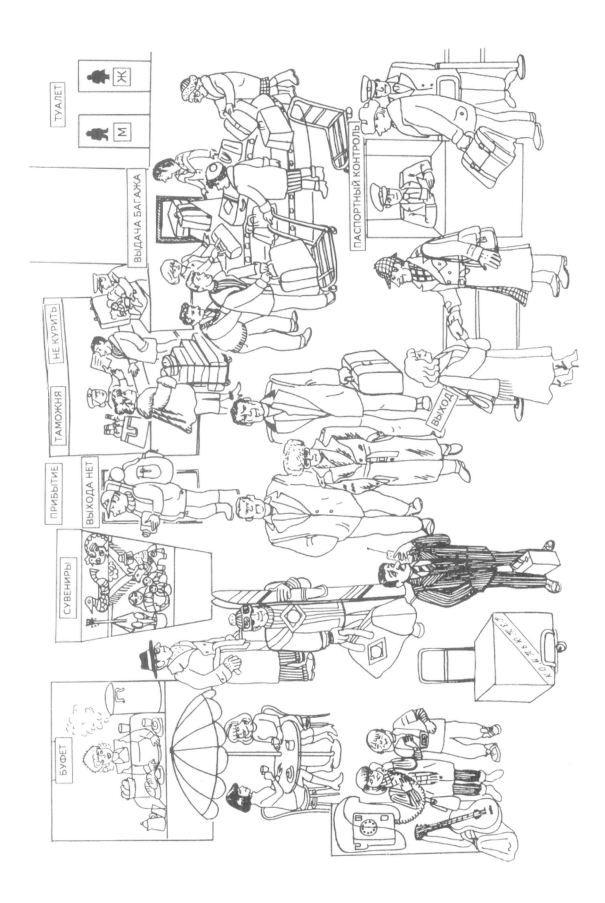

Lyudmila and Ivan on the plane
6

Людми́ла: Здра́вствуйте!
Ива́н: Здра́вствуйте!
Людми́ла: Это Москва́?
Ива́н: Да, Москва́!
Людми́ла: Извини́те, вы тури́ст?
Ива́н: Нет, я бизнесме́н. А вы?
Людми́ла: Я тури́стка... и... журнали́стка.

Ivan at passport control
7

Офице́р: Ваш па́спорт, пожа́луйста.
Ива́н: Вот, пожа́луйста.
Офице́р: Вы тури́ст?
Ива́н: Нет, я не тури́ст. Я бизнесме́н.
Офице́р: Вы Ива́н Козло́в?
Ива́н: Да, э́то я.
Офице́р: Хорошо́. Вот ваш па́спорт.

Ivan and Lyudmila by the baggage claim
8

Ива́н: Это ваш чемода́н?
Людми́ла: Да, мой.
Ива́н: А где мой?
Людми́ла: Вы Козло́в?
Ива́н: Да, я Козло́в.
Людми́ла: Это ваш чемода́н?
Ива́н: Да, мой, спаси́бо.
Людми́ла: А су́мка ва́ша?
Ива́н: Да, спаси́бо.

Ivan going through customs
9

Official: Ваш биле́т.
Ива́н: Биле́т? Где он...? А, вот он. Пожа́луйста.
Official: Где ваш па́спорт?
Ива́н: Где мой па́спорт? Вот он.
Official: А деклара́ция?
Ива́н: Вот она́. Пожа́луйста.
Official: Хорошо́. Вы тури́ст?
Ива́н: Нет, я не тури́ст. Я бизнесме́н.
Official: Где ваш бага́ж?
Ива́н: Вот мой бага́ж. Чемода́н и су́мка.
Official: А э́то что?
Ива́н: Это аспири́н.
Official: А э́то?
Ива́н: Это сувени́р.
Official: Хорошо́, вот ваш па́спорт и ваш биле́т.

Типи́чный англича́нин. A Russian woman asks a British visitor about his bag  10

Же́нщина:	Извини́те, это ва́ша су́мка?
Англича́нин:	Да, спаси́бо, это моя́ су́мка. А скажи́те, пожа́луйста, это Шереме́тьево?
Же́нщина:	Да, э́то Шереме́тьево.
Англича́нин:	Это Шереме́тьево-1 и́ли Шереме́тьево-2?
Же́нщина:	Нет-нет! Это Шереме́тьево-D.

аэропо́рт	airport
Здра́вствуйте!	Hello!
э́то	this
Москва́	Moscow
да	yes
Извини́те!	Excuse (me)!
а	and / but
вы	you
тури́ст	male tourist
тури́стка	female tourist
бизнесме́н	businessman
журнали́стка	female journalist
офице́р	officer
нет	no
и	and
я	I
не	not
ваш / ва́ша	your / yours (m. / f.)
па́спорт	passport
пожа́луйста	please (please take it) / you are welcome
хорошо́	good
вот	here is
спаси́бо	thank you
чемода́н	suitcase
мой / моя́	my / mine (m. / f.)
где	where (position)
су́мка	bag
биле́т	ticket
он	he / it (m.)
декла́рация	(customs) declaration
она́	she / it (f.)
бага́ж	baggage
что	what
аспири́н	aspirin
сувени́р	souvenir

типи́чный	typical
англича́нин	Englishman
же́нщина	woman
ка́рта	map
Скажи́те!	Tell (me)!
Шереме́тьево	Sheremetyevo (airport)
оди́н	one
и́ли	or
два	two
Нет-нет!	No! (with emphasis)

декла́рация www
Travellers to Russia who are carrying more than a certain amount of foreign currency and valuables have to fill out a customs declaration form and go through the red customs channel.

Шереме́тьево www
The new terminals at Sheremetyevo airport use Latin letters in their names: **Термина́л-А**, **Термина́л-В**, **Термина́л-С**, etc.

www **Москва́**

Over 850 years old, Moscow is the capital of the Russian Federation, and with more than 11.5 million inhabitants (2010) it is the largest city in Europe. It is the "Port of Five Seas" (which are linked to the city by rivers and canals). Moscow has three major airports, nine main stations, and a metro renowned for its efficiency, frequency and amazing architecture and decor.

www **English-speaking nationalities, male and female:**

англича́нин	англича́нка	америка́нец	америка́нка
шотла́ндец	шотла́ндка	кана́дец	кана́дка
ирла́ндец	ирла́ндка	австрали́ец	австрали́йка
валли́ец	валли́йка	новозела́ндец	новозела́ндка

> Russians sometimes use англича́нин / англича́нка to mean anyone from the British Isles!

ГРАММАТИКА

There is a glossary of grammatical terminology at www.ruslan.co.uk/ruslan1.htm

Articles and the verb "to be"

There are no articles ("a" or "the") in Russian, and in everyday speech the verb "to be" is not used in the present tense ("I am", "you are" etc.). This means that some basic sentences can be very simple:

This is the airport.	Это аэропо́рт.
I am a businessman.	Я бизнесме́н.
This is my luggage.	Это мой бага́ж.

You can ask a question by changing the intonation. The word order does not change.

Это Москва́.   -   This is Moscow.   (voice goes down)

Это Москва́?   -   Is this **Moscow**? (voice rises)

Russian nouns can be masculine, feminine or neuter
You have only met masculine and feminine nouns in this lesson. Usually you can tell the gender by the last letter of the word.

Most masculine nouns end in a consonant or -й:
паспорт / багаж / турист / трамвай (tram)

Most feminine nouns end in -а, -я or -ия:
виза (visa) / Таня (a girl's name) / декларация

only 14

> In later lessons you will meet nouns with other endings.
> Nouns ending in -о or -е are almost always neuter.
> Nouns ending in -мя are neuter.
> Nouns ending in a soft sign -ь can be masculine or feminine.

Possessive pronouns
мой / моя - "my" or "mine" and ваш / ваша - "your" or "yours" agree with the noun that they refer to. Here they are either masculine or feminine:

Masculine	Feminine
мой паспорт	моя виза
мой багаж	моя сумка ~ *suitcase*
ваш чемодан	ваша декларация

suitcase

он / она
These mean "he" or "she" for people or animals, and "it" for things.

он is used to refer to a masculine noun:
Где ваш паспорт?	-	Вот он!
Где Иван?	-	Вот он!

она is used to refer to a feminine noun:
Где ваша виза?	-	Вот она!
Где Нина?	-	Вот она!

Здравствуйте! - Hello!
www

To make this easier to pronounce, break it up into syllables.
Здра(в) / ствуй / те!
The first в is not pronounced.

> English speakers often find this difficult. If you have a standard English accent, try thinking of your donkey!
> Say "Does your ass fit yer" fairly quickly and slurring the first "Does". The result can be very close to "Здравствуйте!".

The Russian equivalent of "Hi!" is: Привет!
Здравствуйте and Привет should only be used once a day, when you first meet. Привет is only used informally, with people you know.

1. Complete the blanks with the correct word

а. Где _ваш_ журнáл?   ваш / вáша

б. Это _моя_ вúза.   мой / моя

в. Вот _____ билéт.   ваш / вáша

г. Где багáж? Вот _он_.   он / онá

д. Где моя сýмка? Вот _онá_.   он / онá

е. Где Людмúла? Вот _онá_.   он / онá

ж. Где Борúс? Вот _он_.   он / онá

2. Choose the correct response

а. Это ваш багáж?
б. Где вáша вúза?
в. Вы турúст?
г. Вот ваш журнáл.
д. Это Лóндон?
е. Спасúбо.
ж. Где ваш багáж?
з. Это наркóтик?

Вот он.
Да, мой.
Нет, это аспирúн.
Пожáлуйста. *(please, your welcom)*
Вот онá.
Нет, я бизнесмéн.
Спасúбо
Нет, это Москвá.

3. You have lost your passport. What might you say?
Это ваш пáспорт?
Где мой пáспорт?
Вот мой пáспорт.
Хорошó.

Someone has found it. What might he / she say to you?
Это мой пáспорт.
Где ваш пáспорт?
Вот ваш пáспорт.
Спасúбо.

You thank him / her:
Хорошó. *Good*
Пожáлуйста. *Please*
Извинúте. *Excuse me*
Спасúбо. *Thank you*

And he / she might respond:
Хорошó.
Пожáлуйста.
Извинúте.
Спасúбо.

1. Notices at the airport. Which is which?

ВЫДАЧА БАГАЖА   ТРАНЗИТ
№ РЕЙСА   КРАСНЫЙ КОРИДОР
НЕ КУРИТЬ   ПАСПОРТНЫЙ КОНТРОЛЬ
РЕГИСТРАЦИЯ   ТУАЛЕТ
СУВЕНИРЫ   ВЫХОД
ПАРФЮМЕРИЯ   ВЫХОДА НЕТ

Souvenirs - Transit - Check in - Baggage claim
Perfumes - Red channel - No smoking - No exit
Toilet - Passport control - Exit - Flight number

2. What might interest a Russian customs officer?

биле́т	па́спорт	во́дка
ико́на	сувени́р	нарко́тик
ви́ски	до́ллар	журна́л «Экономи́ст»
деклара́ция	фотоаппара́т	газе́та «Таймс»

3. Recognise the currencies!

До́ллар - Фу́нт сте́рлингов - Рубль - Евро
Украи́нская гри́вна - Япо́нская ие́на - Кита́йский юа́нь
Инди́йская ру́пия

4. Recognise the cars! Find three Russian cars!

Форд - Рено́ - Мерседе́с - Ла́да - Фиа́т - Ягуа́р - Москви́ч
БМВ - Во́льво - Ситрое́н - Во́лга - Кадилла́к - Тойо́та

5. Како́й аэропо́рт? - Which airport?

Which airport(s) would you use for the USA, for Western Europe,
for the Baltic countries, for Ukraine, for China?
Which airport would you use for Northern Russia, Southern Russia,
for Siberia, for the Far East of Russia. (Use the map on page 2)

Шереме́тьево-D:
Берли́н, Владивосто́к, Екатеринбу́рг,
Ирку́тск, Ло́ндон, Мила́н, Новосиби́рск,
Пари́ж, Хаба́ровск.
Шереме́тьево-E:
Доне́цк, Ки́ев, Ри́га, Та́ллин
Шереме́тьево-F:
Пеки́н, Шанха́й
Вну́ково:
Арха́нгельск, Магада́н, Му́рманск.
Домоде́дово:
Вашингто́н, Волгогра́д, Ло́ндон,
Лос-Анджелес, Майа́ми, Нью-Йо́рк,
Омск, Санкт-Петербу́рг, Сара́тов.

Here is part of the passenger list from Ivan's flight to Moscow.

а.   Work out who the three non-Russians are.

б.   Add your own name in Russian handwriting, and the names of other people in your class.

1. Андреев Павел Борисович
2. Брансон Ричард
3. Иванов Борис Владимирович
4. Иванова Татьяна Николаевна
5. Козлов Иван Николаевич
6. Мальцева Юлия Павловна
7. Минский Вадим Степанович
8. Смит Мэри
9. Суханов Александр Львович
10. Тихонова Людмила Николаевна
11. Томас Джон Филип
12. Шишкин Михаил Андреевич
13. Щукина Зоя Борисовна

Listen to the dialogue on the audio CD

 11

Lyudmila is going through customs:
1. Name the three items requested by the official for inspection.
2. What was the purpose of Lyudmila's trip?
3. Name the cities she visited.
4. Has she any souvenirs?

> You can check your answers with the text on page 147.

| ГОВОРИТЕ! | SPEAK! |

1. **Questions and answers about the cartoon on page 17**

   – Это турист?　　　– Да.
   – Это сувенир?　　　– Нет, это телефон.
   – Где чемодан?　　　– Вот чемодан.
   – Где паспорт?　　　– Вот он!
   – Где сумка?　　　　– Вот она!
   и т.д.

2. **Role-play (work in pairs)**
   Use a piece of card as an imaginary passport.
   Write in your name in Russian and your status or profession: tourist (турист), business person (бизнесмен) etc.

   Then you are at passport control. One person plays the border guard, the other plays a visitor.

паспортный контроль

Border guard Ask to see passport.	**Visitor** Show your passport.
Check status. (tourist / business person etc).	Confirm your status.
Check the name.	Confirm your name.
Ask about luggage etc.	Answer.
Return the passport and visa and say "thank you".	Respond.

Then change roles and do it again.

www **3.** **Language game for a group**
Choose your profession from the following:

журналист	-	journalist
музыкант	-	musician
инженер	-	engineer

Then find the other people who have the same job as you, using Russian only, and using words you have learned in this lesson.

— Извините, пожалуйста, вы музыкант?
— Да, я музыкант.
— И я музыкант.
— Хорошо!

— Извините, вы музыкант?
— Нет, я журналист.

> Use masculine forms of the professions.
> It would be unusual to use the feminine form журналистка in this situation. There is no feminine form of инженер or музыкант.

4. **Он / она**
You will need a collection of objects or pictures. They should be either masculine or feminine. There are some pictures for you to use on the next page.

Ask each other questions and point when you give the answer.

> билет - водка - лимонад - журнал - компьютер
> паспорт - шоколад - телефон - лампа - сумка

— Где журнал?
— Вот он!
— Где водка?
— Вот она!

5. **Или**
Using the pictures opposite, ask and answer questions such as:
— Это билет или паспорт?
— Это паспорт.
— Что это? Водка или лимонад?
— Это лимонад.

www

①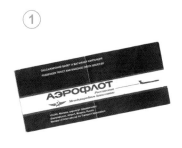

②

③

④

⑤

⑥

⑦

⑧

⑨

⑩

Ruslan 1 Lesson 1

12

Аэропорт Пулково

Это Россия, Санкт-Петербург, аэропорт Пулково. Это терминал номер два? Нет, это терминал номер один.

Вот пассажир. Кто это? Это Игорь. Он инженер. Он русский.

— Извините, где багаж?
— Вот он: чемодан, сумка и рюкзак.
— А где мой паспорт?
— Вот он.
— Спасибо. А где моя гитара?
— Вот она. Вы музыкант?
— Нет!

Санкт-Петербург	-	Saint Petersburg
терминал	-	terminal
номер	-	number
пассажир	-	passenger
рюкзак	-	rucksack
гитара	-	guitar
музыкант	-	musician

Вопросы к тексту - Questions on the text

а. Это Москва?
б. Это Россия?
в. Это терминал номер один?
г. Игорь американец?
д. Игорь инженер?
е. Где паспорт?
ж. Где гитара?

Перевод - Translation

— Excuse me, is this your suitcase?
— Yes, it is my suitcase. Thank you.
— You're welcome.

— Where is my ticket?
— Here it is.
— And my visa?
— Here it is.

— This is not my guitar and this is not my rucksack.
— Sorry! Is this your guitar?
— Yes, this is my guitar. Thank you.
— And is this your rucksack?
— Yes, this is my rucksack. Thank you.
— Are you a tourist?
— No.

Аэропо́рт Пу́лково

<table>
<tr><td>

ПЕСНЯ

</td><td>

SONG

</td></tr>
</table>

«До свида́ния!»

🎧 13

— Извини́те, где ваш па́спорт?
   Где портфе́ль и чемода́н?
— Вот бага́ж мой, до свида́ния.
   Па́спорт мой у вас вот там!

До свида́ния, до свида́ния,
Вот портфе́ль и чемода́н.
До свида́ния, до свида́ния,
Па́спорт мой у вас вот там!

— Вот уже́ мы в термина́ле:
   Я студе́нт, а вы тури́ст.
— Где авто́бус? Где авто́бус?
   А, смотри́те: вот такси́ст!

До свида́ния, до свида́ния,
Я студе́нт, а вы тури́ст.
Где авто́бус? Где авто́бус?
А, смотри́те: вот такси́ст!

До свида́ния	-	Goodbye
портфе́ль (m.)	-	briefcase
уже́	-	already
в термина́ле	-	in the terminal
авто́бус	-	bus
Смотри́те!	-	Look!
такси́ст	-	taxi driver

Original song by L.M. O'Toole

Ivan finds his way from Sheremetyevo airport to Arbat, a street in the centre of old Moscow.

In this lesson you will learn to ask some basic questions to find your way around a Russian town.

The grammar includes:
- ❑ "I know" and "you know" - я зна́ю / вы зна́ете
- ❑ the prepositions в and на meaning "to"
- ❑ imperatives such as Скажи́те! - "Tell (me)!"
- ❑ да and нет, meaning nearly the same as "yes" and "no"
- ❑ the numbers 0 - 10
- ❑ есть meaning "there is"
- ❑ the pronoun оно́, used for "it" when referring to neuter nouns

You will learn:
- ❑ to read an address in Russian
- ❑ to recognise more place names.

There is information on Arbat Street in Moscow and about the singer Bulat Okudzhava. In the reading section, Igor is looking for the Hermitage in Saint Petersburg. There is a photo gallery with Moscow and Saint Petersburg sights.

> The Ruslan 1 workbook contains 16 additional exercises for this lesson, including 3 listening exercises.
> The Ruslan 1 CDRom contains 23 additional exercises with sound.

Many place names in Russia have been changed since the collapse of the USSR On this map, "улица Вахта́нгова" is now "Большо́й Николопе́скевский переу́лок".

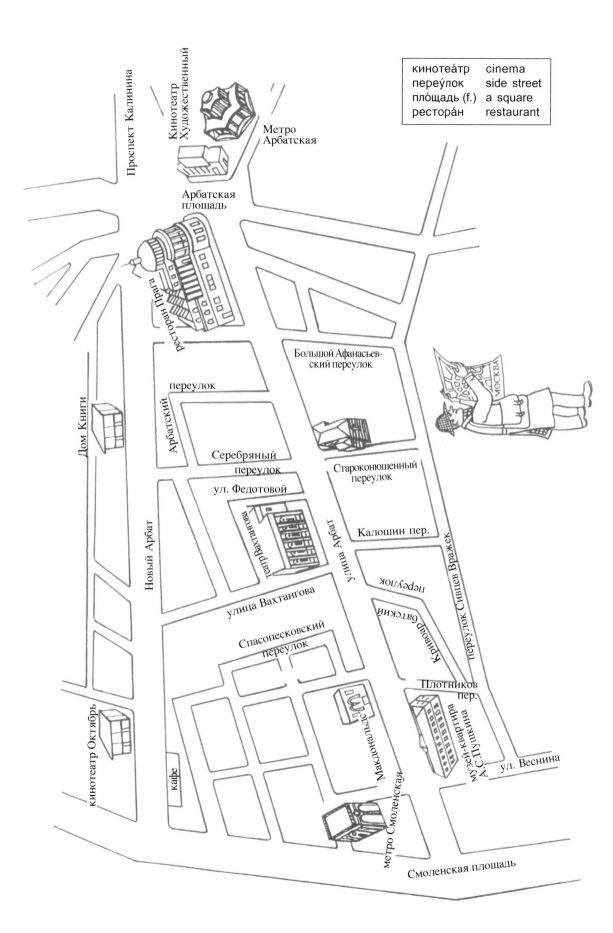

кинотеа́тр	cinema
переу́лок	side street
пло́щадь (f.)	a square
рестора́н	restaurant

Ivan and Lyudmila at the airport

🌀 15

Ива́н:	Извини́те, пожа́луйста.
Людми́ла:	Да?
Ива́н:	А, э́то вы? Тури́стка и журнали́стка?
Людми́ла:	Да, э́то я.
Ива́н:	Вы не зна́ете, где здесь метро́?
Людми́ла:	Здесь нет метро́.
Ива́н:	Здесь нет метро́?
Людми́ла:	Да, нет метро́. Вот стоя́нка такси́, а там авто́бус.
Ива́н:	Спаси́бо.

Ivan in the taxi

🌀 16

Ива́н:	В центр, пожа́луйста.
Такси́ст:	Куда́ в центр?
Ива́н:	На Арба́т.
Такси́ст:	Хорошо́.

They arrive

Такси́ст:	Вот, пожа́луйста, Арба́т. Вот, нале́во, ста́нция метро́, а э́то у́лица Арба́т.
Ива́н:	Спаси́бо.

Ivan in the street

🌀 17

Ива́н:	Извини́те. Где здесь у́лица Вахта́нгова?
Прохо́жий:	Я не зна́ю.
Ива́н:	Где мой план? ... Ага́, вот он. Вот э́то Арба́т. А где а́дрес? Улица Вахта́нгова, дом де́сять. Хорошо́, вот э́то у́лица Вахта́нгова. Я здесь. А что э́то? Теа́тр?
Ива́н:	Скажи́те, пожа́луйста. Вы не зна́ете, где здесь теа́тр?
Прохо́жий:	Теа́тр? Да. Теа́тр Вахта́нгова. Это бли́зко. Иди́те пря́мо и теа́тр напра́во.
Ива́н:	Спаси́бо.

Типи́чный англича́нин

Англича́нин: Извини́те, это Большо́й теа́тр?
Прохо́жая: Большо́й теа́тр? Нет! Большо́й теа́тр не здесь.
Англича́нин: Я не понима́ю. А где Большо́й теа́тр? Это далеко́?
Прохо́жая: Да. Это далеко́. Ста́нция метро́ «Театра́льная».
Англича́нин: Спаси́бо. А здесь есть метро́?
Прохо́жая: Коне́чно. Вот оно́.

вы зна́ете	you know	я не понима́ю	I don't understand
здесь	here	Большо́й теа́тр	the Bolshoy theatre
метро́	metro	далеко́	far
стоя́нка такси́	taxi rank	есть	there is
там	there	коне́чно	of course
авто́бус	bus	(pronounced kanyéshna)	
в	to / at	оно́	it
центр	centre		
куда́	where to		
на	to / at		
нале́во	to the left		
ста́нция	station		
у́лица	street		
я не зна́ю	I don't know		
план	plan / map		
Ага́!	Aha!		
а́дрес	address		
дом	house / block of flats		
де́сять	ten		
теа́тр	theatre		
прохо́жий	male passer-by		
прохо́жая	female passer-by		
бли́зко	near		
Иди́те!	Go!		
пря́мо	straight ahead		
напра́во	to the right		

Звонова Зоя Петровна
РОССИЯ
115446 МОСКВА
ул. Вахтангова,
д.10, кв. 106
Тел.: (8) 495 841 43 45

This is Zoya Petrovna's visiting card - визи́тка. The Russians write their address with the country first.

There are now new fast trains from the airport to the centre of Moscow

АРБА́Т

Before the 1917 Revolution, Арба́т was a fashionable upper-class area of Moscow. After the Revolution it became a busy road full of small shops. In the 1990s, during the period of перестро́йка - "perestroika", Арба́т was the first street in Moscow to be pedestrianised. Now it is used by artists selling their paintings and by sellers of souvenirs for tourists.

 www

Ах Арба́т, мой Арба́т, ты моё призва́ние.
Ты и ра́дость моя́, и моя́ беда́.
(Була́т Окуджа́ва)

Oh, Arbat, my Arbat, you are the meaning of my life.
You are both my joy and my trouble.
www (Bulat Okudzhava)

**Була́т Окуджа́ва
(1924-1997)**

www

NUMBERS 0 - 10

0	ноль		
1	оди́н	6	шесть
2	два	7	семь
3	три	8	во́семь
4	четы́ре	9	де́вять
5	пять	10	де́сять

ГРАММА́ТИКА

я зна́ю / вы зна́ете - "I know" / "you know"

Verbs in the present tense change their endings to agree with the person who is performing the action.

я зна́ю	I know
вы зна́ете	you know
я понима́ю	I understand
вы понима́ете	you understand

See page 61 for the full conjugation of знать - "to know".

The prepositions в and на
Both в and на can mean "to" in the sense of "to a place".

в центр	-	to the centre
на Арбáт	-	to Arbat

> Practise saying "в центр" with no gap between the в and the ц.

в is used for enclosed spaces such as rooms, hotels, the theatre, etc.
на is used for open spaces such as streets, fields and stations, and for concepts such as work.

However there are exceptions. Learn each example as you meet it.

напрáво / налéво and спрáва / слéва
напрáво / налéво are used when directing someone where to go.

Идúте напрáво!	Go right!
Идúте налéво!	Go left!

спрáва / слéва are used when saying where something is:

Теáтр слéва.	The theatre is on the left.
Ресторáн спрáва.	The restaurant is on the right.

> In everyday speech Russians may use напрáво / налéво in place of спрáва / слéва.

Скажúте! - "Tell (me)!"
Some verbs ending in -ите and all verbs ending in -йте are imperatives, for giving commands or instructions.

Скажúте!	Tell (me)!	Читáйте!	Read!
Идúте!	Go!	Извинúте!	Excuse (me)!

да и нет - "yes" and "no"
These do not mean exactly the same as "yes" and "no" in English.
For example, the Russians often use "да" to say "yes, there isn't",
when in English we would say "no, there isn't".

    – Здесь нет метрó?
    – Да, здесь нет метрó.

The exclamations Да-да! and Нет-нет! are used for extra emphasis.

есть - "there is"
The word есть is used on its own to mean "there is" in statements,
or "is there?" in questions.

    Здесь есть метрó?   Is there a metro here?

Neuter nouns
Nouns ending in -о or -е are neuter.
The word for "it" for neuter nouns is онó.

    – Где метрó?
    – Вот онó!

1. Fill in the gaps in the sentences

а. Где ста́нция _____ ?
б. Где мой _____ ?
в. _____ пря́мо.
г. Это ва́ша _____ ?
д. Что вы не _____ ?
е. Скажи́те, _____, где теа́тр?
ж. Извини́те, я не _____.
з. Теа́тр далеко́? Нет, _____.
и. Это _____ план?

> зна́ю
> Иди́те
> понима́ете
> план
> бли́зко
> ваш
> су́мка
> пожа́луйста
> метро́

2. Asking directions. Work out the answers

Вы здесь!

– Скажи́те, пожа́луйста, где кинотеа́тр?
– Скажи́те, пожа́луйста, где теа́тр?
– Скажи́те, пожа́луйста, где буфе́т?
– Скажи́те, пожа́луйста, где рестора́н?
– Скажи́те, пожа́луйста, где метро́?

> – Иди́те пря́мо и нале́во!
> – Иди́те пря́мо и напра́во!
> – Иди́те пря́мо!

3. Imperatives. Which is which?

www

Иди́те!
Скажи́те!
Извини́те!
Слу́шайте!
Чита́йте!
Иди́те пря́мо!
Иди́те напра́во!
Иди́те нале́во!
Пиши́те!

> Go!
> Go left!
> Go right!
> Go straight on!
> Write!
> Excuse (me)!
> Tell (me)!
> Listen!
> Read!

1. **Can you read this list of cities?**

Бирмингéм - Эдинбу́рг - Бри́столь - Манчéстер
Лóндон - Кóвентри - Ливерпу́ль - Оксфорд

Try to say them with a Russian accent.
Write them out in Russian handwriting.

_____

_____

_____

_____

2. **Here is the visiting card of a Western company's representative in Moscow:**

СИМПСОН энд САН лимитед
Россия
119121, Москва
Арбатский переулок, дом 2
Николас Робертсон
тел.: (8) 495 841-12-12

What is the name of the company?
Can you find the street on the map on page 31?
What is the name of the representative?

Write out the address in Russian handwriting.

_____

_____

_____

_____

3. **Signs that you might see in the street. Which is which?**

МУЗЕЙ	МЕТРО
СТОЯНКА ТАКСИ	УЛИЦА
ТУРИЗМ	ИНТУРИСТ
КАССА	КИОСК
МЕДПУНКТ	ПРОСПЕКТ
ПОЛИЦИЯ	РЕМОНТ
ТЕАТР	ЦЕНТР

Tourism - Theatre - Underground - Taxi rank - Kiosk
Under repair - Intourist - Museum - Ticket office
First Aid Point - Street - Centre - Avenue - Police

4. **Find the Russian, Belorussian or Ukrainian cities in the maze**
(Читáйте тóлько по вертикáли или по горизонтáли)

```
В Ц У Т О М С К М О С К В А
О К И Е В У Х Ъ Я Л Т А П У
Л П Е Т Е Р Б У Р Г О Я Д Ф
Г М О Ч С М О Л Е Н С К Ё А
О И Р В Л А Д И В О С Т О К
Г Н Ё Л Д Н С А Р А Т О В П
Р С Л Р О С А М А Р А Е А П
А К У И Р К У Т С К Ц Ц К Е
Д С А Р А Н С К А П О М С К
```

Kiev, Irkutsk, Minsk, Moscow, Murmansk, Omsk, Oryol,
Petersburg, Samara, Saransk, Saratov, Smolensk,
Tomsk, Ufa, Vladivostok, Volgograd, Yalta

Ivan is trying to find the office he needs to go to tomorrow 19

1. Which metro station did he ask for?
2. Is it very far?
3. Which street is his firm in? Find it on the map on page 31.

ГОВОРИТЕ!

1. **Talk about the map at the beginning of the lesson**

a. Ask the way to different places,
    and give the answers.

б. Pretend you are walking along
    Арбáт, from метрó «Арбáтская»
    to метрó «Смолéнская».
    Point out what you see.

    Begin:
    – Вот э́то рестора́н «Пра́га» ..., etc.

2. **Role-play (work in pairs)**
    You are in the street. One person plays the role of the tourist, the
    other plays the passer-by.

Tourist Attract the person's attention.	**Passer-by** Respond.
Ask politely where the restaurant «Пра́га» is.	Say it is close by.
Ask where it is.	Tell him / her to go straight on and then the restaurant is on the right.
You are sorry you do not understand.	Repeat the directions.
Say thank you.	Respond.

Then change roles and do it again.

3. **Memory game in Russian**
Memorise the drawing on page 36. Then test your memory against your partner, asking the way to different places.
   – Где теа́тр?
   – Пря́мо и нале́во.
   – Да.

   – Где метро́? Пря́мо?
   – Нет. Иди́те пря́мо и напра́во.

4. **Your own town**
Draw a map of a real or imaginary town, including some of these places:
университе́т - банк - аэропо́рт - зоопа́рк - стадио́н (stadium) - поликли́ника (policlinic) - метро́ - теа́тр - кинотеа́тр - рестора́н

Talk about your town to other people in the group.

5. **Он / она́ / оно́**
Repeat exercise 4 on page 26, but use some neuter nouns as well - вино́, такси́, метро́.
   – Где вино́?
   – Вот оно́!

6. **Вы зна́ете Ло́ндон?**
Use the list of cities on page 37. Ask each other questions to find out which cities people know.
   – Вы зна́ете Ло́ндон?
   – Да, я зна́ю Ло́ндон.

7. **Number practice**
Write the numbers 0 - 10 on the board in figures.
The teacher or a learner calls out the numbers.
Two learners stand by the board to see who can point to the numbers first.
Another learner can keep the score in Russian.

8. **Use the pictures on page 27 for more number practice**
   – Но́мер два, что э́то?
   – Это телефо́н!
   – Но́мер четы́ре, э́то па́спорт и́ли биле́т?
   – Это па́спорт.

9. **Copy and cut out the pictures on pages 42 and 43, or use postcards, to practise и́ли - "or"**
   – Это Москва́ и́ли Санкт-Петербу́рг?
   – Это Москва́!
   – А э́то?
   – Я не зна́ю!

Санкт-Петербург

Вот це́нтр. Это Не́вский проспе́кт. Здесь есть метро́, стоя́нка такси́, авто́бус и трамва́й. Спра́ва – рестора́н, сле́ва – кинотеа́тр. Здесь хорошо́!

Игорь не зна́ет, где Эрмита́ж. А вот прохо́жий. Он зна́ет.
– Скажи́те, пожа́луйста, где Эрмита́ж?
– Эрмита́ж? Это недалеко́. Иди́те пря́мо и напра́во.
– Спаси́бо.

Игорь идёт пря́мо и напра́во. Там Эрмита́ж, а сле́ва – река́ Нева́. Эрмита́ж – э́то большо́й музе́й. Там о́чень интере́сно.

The dash (–) is used to replace the verb "to be", as well as to introduce speech. See page 155.

Вопро́сы к те́ксту
- Questions on the text
а. Это Москва́?
б. Что сле́ва?
в. Что спра́ва?
г. Игорь зна́ет, где Эрмита́ж?
д. Кто зна́ет, где Эрмита́ж?
е. Это бли́зко?

Не́вский проспе́кт		
	-	Nevsky Prospect
трамва́й	-	tram
он зна́ет	-	he knows
Эрмита́ж	-	the Hermitage
прохо́жий	-	passer-by
идёт	-	goes (by foot)
река́	-	river
большо́й	-	big
музе́й	-	museum
о́чень	-	very
интере́сно	-	interesting

Перево́д - Translation
– Excuse me, please. Do you know where the taxi rank is?
– Go straight and to the left.

– Where is the metro? Is it far?
– There is no metro here. The bus is there.

– Excuse me, where is Nevsky Prospect?
– It's nearby. Go to the right.

– Is this the Hermitage?
– Sorry, I don't know.

– Is this your bus or my bus?
– It is my bus. But where is my ticket?

МОСКВА

Большо́й теа́тр

Улица Арба́т

Коло́менское

Бе́лый дом

Моско́вское метро́

Лубя́нка

Магази́н ГУМ

Храм Васи́лия Блаже́нного

The Bolshoy Theatre	Arbat Street
Kolomenskoye	The White House
The Moscow metro	The Lubyanka
GUM	The Cathedral of Vassily the Blessed

САНКТ-ПЕТЕРБУРГ

www

Эрмита́ж

Дворцо́вая пло́щадь

Пе́тро-Па́вловская кре́пость

Кре́йсер "Авро́ра"

Ме́дный Вса́дник

Иса́акиевский собо́р

Мари́йнский теа́тр

The Hermitage	
Palace Square	The Peter and Paul Fortress
The Cruiser "Aurora"	The Bronze Horseman
Saint Isaac's Cathedral	The Mariinsky Theatre

Ivan arrives at Zoya Petrovna's flat and meets Lyudmila again. Ivan needs somewhere to stay.

In this lesson you will learn:
- ❏   words to use when meeting people
- ❏   words for different members of the family.

The grammar includes:
- ❏   the genitive singular of masculine and feminine singular nouns
- ❏   the spelling rule for the use of the letters ы and и
- ❏   the genitive singular to express "of", after prepositions, after нет and after numbers 2, 3 and 4
- ❏   different forms of одúн and два
- ❏   how to use мóжно and нельзя́ with мне and вам to mean "I can" or "you may not", etc.
- ❏   some common words of foreign origin that never change their endings in Russian.

There is an introduction to the Russian name system, as well as practice exercises.

In the reading section there is a text about Anton and Vera and their family in Saint Petersburg.

> The Ruslan 1 workbook contains 20 additional exercises for this lesson, including 3 listening exercises.
> The Ruslan 1 CD Rom contains 27 additional exercises with sound.

Семья́ царя́ Николáя II

The doorbell rings at the Zvonovs' flat

🌀 22

Зоя Петровна:	Сейчас... сейчас.
Иван:	Здравствуйте. Вы Зоя Петровна?
Зоя Петровна:	Да. А вы кто?
Иван:	Я Иван Козлов.
Зоя Петровна:	Ах, Иван... Вы прямо из аэропорта? Как хорошо! Здравствуйте! Иван, это Людмила.
Людмила:	Очень приятно.
Иван:	Что? Людмила? Это вы?!
Зоя Петровна:	Как!? Люда? Вы знакомы?
Людмила:	Да нет! Я знаю только, что Иван бизнесмен.
Иван:	А я знаю, что Людмила туристка и журналистка.
Зоя Петровна:	Что? Журналистка?
Людмила:	Зоя Петровна, а можно кофе?
Зоя Петровна:	Да-да, конечно, я сейчас...

🌀 23 **Ivan and Lyudmila on their own**

Иван:	Так вас зовут Людмила?!
Людмила:	Да, меня зовут Людмила. А вас зовут Иван.
Иван:	А скажите, Людмила, вы из Москвы?
Людмила:	Да, а вы?
Иван:	Я не из Москвы. Я из Саранска.
Людмила:	Саранск? Где это? Далеко от Москвы?
Иван:	Не очень далеко. Так вы знаете Вадима?!
Людмила:	Да, очень хорошо знаю.
Иван:	Понимаю.

🌀 24 **The coffee arrives**

Зоя Петровна:	Вот, пожалуйста, кофе.
Людмила:	Спасибо.
Иван:	А мне нельзя кофе. У меня от кофе аллергия. Можно мне чай?... А это, Зоя Петровна, для вас.
Зоя Петровна:	Для меня? Что это?
Иван:	Сувенир из Лондона.
Зоя Петровна:	Спасибо, Иван. Что это? Книга? Очень хорошо!
Иван:	Зоя Петровна, можно мне остановиться у вас до среды?
Зоя Петровна:	Нет, Иван, извините, нельзя. Понимаете, здесь сейчас Люда и Вадим, а у меня только три комнаты.
Людмила:	Знаете, Иван, гостиница «Марс» не очень далеко.

ЛОНДОН

Zoya Petrovna sees some papers on the floor

Зо́я Петро́вна: Ива́н, э́то ваш биле́т?

Ива́н: Нет, не мой.

Людми́ла: Это биле́т Вади́ма.

Зо́я Петро́вна: А э́то?

Ива́н: Это, ка́жется, биле́т Людми́лы.

сейча́с	now / just a minute
кто	who
из (+gen.)	from
как	how
о́чень	very
прия́тно	pleasant
что	what / that
знако́мы	aquainted
Да нет!	But no!
то́лько	only
мо́жно	possible
ко́фе (m. or n.)	coffee
Да-да	Yes (with emphasis)
так	so
вас	you (object)
меня́	me (object)
вас зову́т ...	your name is ... (they call you ...)
меня́ зову́т ...	my name is ... (they call me ...)
мне	for me
нельзя́	not allowed
у (+gen.)	in the possession of / at or by
у меня́	I have (See lesson 5)
от (+gen.)	from
аллерги́я	allergy
чай	tea
для (+gen.)	for
кни́га	book
у вас	at your home / you have
останови́ться	to stay / to stop
до (+gen.)	until
среда́	Wednesday
ко́мната	room
гости́ница	hotel
ка́жется	it seems

да can be used for "but" when you are a bit surprised!

ко́фе can be either masculine or neuter. See the grammar section.

семья́	the family
сестра́	sister
брат	brother
сын	son
дочь	daughter
муж	husband
жена́	wife
мать	mother
оте́ц	father
ро́дственник	male relative
ро́дственница	female relative
племя́нник	nephew
племя́нница	niece
де́душка	grandfather
ба́бушка	grandmother
внук	grandson
вну́чка	granddaughter
дя́дя	uncle
тётя	aunt

The genitive case

There is no Russian word for "of". The genitive case is used instead.

Это биле́т Вади́ма.   It is the ticket of Vadim (Vadim's ticket).

Это биле́т Людми́лы.   It is the ticket of Lyudmila (Lyudmila's ticket).

Masculine nouns have the genitive singular endings -а or -я.

Ива́н becomes Ива́на.

Андре́й becomes Андре́я.

рубль becomes рубля́.

Feminine nouns change:

-а to -ы or -и	Людми́ла becomes Людми́лы.	
(see spelling rule)	Ната́ша becomes Ната́ши.	
-я to -и	Та́ня becomes Та́ни.	
-ия to -ии	Мари́я becomes Мари́и.	
-ь to -и	пло́щадь becomes пло́щади.	

Spelling rule

The letter ы cannot follow: г, к, ж, х, ч, ш or щ. It is replaced by и.

This is why the genitive singular of Ната́ша is Ната́ши.

Personal pronouns are used in the genitive after certain prepositions.

я becomes меня́ and вы becomes вас.

Это для вас.   This is for you.

The genitive after prepositions

The genitive is used with a large number of prepositions, some of which you have met in this lesson.

из	Ива́н из Сара́нска	Ivan is from Saransk
от	далеко́ от Москвы́	a long way from Moscow
до	до Ло́ндона далеко́	it's a long way to London
	до среды́	until Wednesday
для	сувени́р для вас	a souvenir for you
у	у меня́ биле́т	I have a ticket
с	с ча́са	from 1 o'clock

The genitive to express possession

The verb "to have" is rarely used in everyday Russian. Instead use у with the genitive. More on this in lesson 5.

у меня́	I have	у Ива́на	Ivan has
у вас	you have	у Ни́ны	Nina has

The genitive with нет to mean there is "none of" something

Здесь нет гости́ницы.   There is no hotel here.

У меня́ нет во́дки.   I have no vodka.

The genitive singular with the numbers 2, 3, 4

два телефо́на	two telephones
три ко́мнаты	three rooms
четы́ре чемода́на	four suitcases

оди́н - "one" has masculine, feminine and neuter forms

оди́н биле́т	one ticket
одна́ ви́за	one visa
одно́ метро́	one metro

два - "two" has a masculine and neuter form and a feminine form

два биле́та	two tickets	два метро́	two metros
две ко́мнаты	two rooms		

Меня́ зову́т Ива́н - My name is Ivan

Меня́ зову́т ...	They call me ... / My name is ...
Вас зову́т ...	They call you ... / Your name is ...
Тебя́ зову́т ...	They call you ... / Your name is ... (familiar)
Его́ зову́т ...	They call him ... / His name is ...
(The "г" in "его́" is pronounced "v")	
Её зову́т ...	They call her ... / Her name is ...

To ask what someone's name is use как - "how".

Как вас зову́т?	What is your name? (How do they call you?)
or Как тебя́ зову́т?	(familiar)
Меня́ зову́т Тама́ра.	My name is Tamara.

Меня́ зову́т ... and Вас зову́т ... are used with first names and patronymic names (see page 50). To ask about someone's last name use:

Как ва́ша фами́лия?	What is your last name?
Моя́ фами́лия Шмит.	My last name is Smith.

Animate accusative

The accusative endings of singular masculine animate nouns are the same as the genitive. For example:

Вы зна́ете Вади́ма? - Do you know Vadim?

> This is not a point to worry about at this stage. See Ruslan 2, lesson 4 for a full explanation and for exercises.

Foreign words

Many words of foreign origin do not change their endings:

ко́фе, такси́, метро́, бюро́, меню́

Such words are neuter. However ко́фе - "coffee" can be either masculine   www
or neuter.

вино́ - "wine" is an exception and does change its endings.

Нет вина́.   There is no wine.

Impersonal expressions мо́жно and нельзя́

Use these with мне and вам and other words in the dative (lesson 9):

мне мо́жно	- I may (for me it is possible / permitted)
вам нельзя́	- you may not (for you it is not possible / permitted)

Мне нельзя́ ко́фе.	I mustn't have coffee.
Мо́жно мне чай?	May I have tea?

ИНФОРМАЦИЯ

Russians have three names:
the first name - и́мя,
the patronymic name - о́тчество,
and the family name - фами́лия.
Это Влади́мир Влади́мирович Пу́тин и его́
жена́ Людми́ла Алекса́ндровна Пу́тина.

www   **The first name - и́мя**
This usually ends in a consonant, or in -й or -ь for a man:
Влади́мир / Серге́й / Игорь
and in -а, -ья, -ия or -ь for a woman:
Людми́ла / Ната́лья / Мари́я / Любо́вь.
The first name often becomes a diminutive and there can be several different
diminutives for the same name. Людми́ла can be called Лю́да, Лю́дочка,
Ми́ла, Ми́лочка or Лю́ся. Серге́й can be called Серёжа, Серёга or
Серёженька.

The patronymic name - о́тчество
This is formed from the father's first name, adding:
-ович or -евич for a man and -овна or -евна for a woman.
-ович / -овна are used if the father's first name ends in a consonant.
-евич / -евна are used if the father's first name ends in -ий, -ей or -ь, and
sometimes -ь- is added.
Влади́мир Влади́мирович Пу́тин   - Vladimir, son of Vladimir, Putin.
Людми́ла Алекса́ндровна Пу́тина - Lyudmila, daughter of Alexander, Putina.
Дми́трий Анато́льевич Медве́дев - Dimitry, son of Anatoly, Medvedyev.

The family name - фами́лия
This usually ends in -ов, -ёв, -ев, -ин, -о́й or -ский for a man
and in -ова, -ёва, -ева, -ина, -ая or -ская for a woman
            Козло́в / Козло́ва   Каре́нин / Каре́нина
            Андре́ев / Андре́ева   Ма́йский / Ма́йская
Most family names with other endings are non-Russian names,
and the feminine version does not add -a:
            Громы́ко, Шеварна́дзе, Ко́рбут
Non-Russian names do not usually change their endings, except for male
names that end in a consonant.

In formal or work situations it is normal to use the first name and patronymic:
Влади́мир Влади́мирович, Людми́ла Алекса́ндровна.

Дми́трий Анато́льевич Медве́дев
и Влади́мир Влади́мирович Пу́тин

1. True or false according to the story?

а.	Ива́н Козло́в – бизнесме́н.	Да / Нет
б.	Ива́н из Москвы́.	Да / Нет
в.	Людми́ла из Сара́нска.	Да / Нет
г.	Зо́я Петро́вна из Ло́ндона.	Да / Нет
д.	Сара́нск о́чень бли́зко от Москвы́.	Да / Нет
е.	У Людми́лы от ко́фе аллерги́я.	Да / Нет
ж.	Сувени́р из Ло́ндона для Вади́ма.	Да / Нет

2. Далеко́ и́ли бли́зко?

а.	Сара́нск далеко́ от Москвы́?	Да / Нет / Не о́чень
б.	Новосиби́рск далеко́ от Москвы́?	Да / Нет / Не о́чень
в.	Хаба́ровск далеко́ от Владивосто́ка?	Да / Нет / Не о́чень
г.	Минск далеко́ от Смоле́нска?	Да / Нет / Не о́чень
д.	Бирминге́м далеко́ от Ло́ндона?	Да / Нет / Не о́чень

Ask more questions of the same type about towns you know.

3. Choose the words to fill the gaps

а.	_____ мне ко́фе?	Мо́жно / Очень
б.	Я вас не _____.	понима́ю / понима́ете
в.	Скажи́те, у _____ моя́ су́мка?	вам / вас
г.	Вы хорошо́ _____ Ло́ндон?	зна́ю / зна́ете
д.	У меня́ нет _____.	ви́за / ви́зы
е.	Это далеко́ от _____.	гости́ница / гости́ницы
ж.	Я не зна́ю, как _____ зову́т.	вам / вас
з.	Биле́т_____ меня́?	для / у
	Нет, он для _____.	ма́ма / ма́мы

4. Арифме́тика

а.	Два плюс два?
б.	Три плюс четы́ре?
в.	Де́сять ми́нус оди́н?
г.	Пять ми́нус два?
д.	Шесть ми́нус два, ми́нус четы́ре?
е.	Четы́ре плюс два ми́нус шесть?
ж.	Де́сять ми́нус де́сять плюс шесть?
з.	Оди́н плюс два плюс три?

Make up more questions of your own (with answers not higher than 10) and ask each other in pairs.

1. **Fill in the gaps in Zoya Petrovna's family tree**
Work out who fits where by checking the first names and
patronymics.

Тама́ра Серге́евна + 1

Зо́я Петро́вна + 2   3 + Никола́й Ви́кторович

                                              4

Вади́м Бори́сович   5 + Па́вел Андре́евич

Мари́на Па́вловна   6
Гали́на Бори́совна
Ива́н Никола́евич
Ни́на Петро́вна
Бори́с Влади́мирович
Пётр Степа́нович

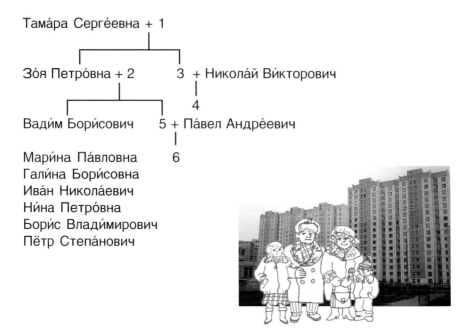

2. **КЛУБ "ШАНС". Match up the lonely hearts!**

Меня зовут Елена. Мне 28 лет.
Я из Волгограда. Люблю кино,
театр, спорт. Я оптимистка.
Мой телефон: (8442) 63-02-45.

Мне 35 лет. Я из Подольска,
недалеко от Москвы. Люблю театр,
балет и кино. Адрес:
г. Подольск. Василий Нудин.
Эл. почта: vnudin@mail.ru

Мне 30 лет. Я журналистка.
Мои интересы: балет, опера, театр
и классическая музыка.
г. Москва,
Эл. почта: Ivanova267@rambler.ru
Иванова Мария Алексеевна.

Меня зовут Егор. Я из Волково
(недалеко от Волгограда).
Я профессиональный спортсмен-
футболист. Я люблю кино.
Тел: (8442) 84-16-75

Мне 28 лет	-	I am 28
эл. по́чта	-	email
я люблю	-	I love

Write out in Russian handwriting:

Two men's first names: _____

_____

Two women's first names: _____

_____

Two men's patronymic names: _____

_____

Two women's patronymic names: _____

_____

СЛУШАЙТЕ!

Lyudmila is talking to Zoya Petrovna about Ivan

26

1. What relation is Ivan to Zoya Petrovna?
2. Where does Zoya Petrovna come from originally?
3. What is her sister's name?
4. Do Ivan and Vadim know each other?

ГОВОРИТЕ!

1. **Как вас зовут?**

   Ask each other's names. First use your real name. Then give yourself a Russian first name and do it again. Then give yourself a Russian patronymic and family name and do it again.
   – Как вас зовут?
   – Меня зовут Иван Петрович.
   – А как ваша фамилия?
   – Моя фамилия Иванов.

2. **Practice of the genitive**

   Make a set of cards with Russian names, one name per card.
   Pretend that they are people's tickets. One member of the group
   deals out the cards, and others have to say whose tickets they are.

   www

   – Это билет Наташи!
   – Это билет Ивана!

   | Борис - Иван - Степан - Олег - Вадим - Игорь - Андрей |
   | Анна - Наташа - Лара - Нина - Тамара - Людмила - Ирина |

3. **Questions and answers about the cartoon on page 45**
   Give people in the picture Russian names. Try to remember them.
   Then speculate about who may be related to whom.
   – Антóн муж Анны?
   – Нет. Он муж Ири́ны.

4. **Гóрод «Нет»**
   Ask each other questions about a town with no facilities at all.
   – Где гости́ница?
   – Здесь нет гости́ницы!
   – Где рестора́н?
   – Здесь нет рестора́на!

5. **Role play (for pair work)**
   You are helping a Russian visitor to the UK who is due to meet a
   small group of people later in the day. They are:
   Brian Jones, journalist from Birmingham.
   Peter Black, businessman from Liverpool.
   Mary Brown, student from London.
   Sharon Cook, journalist from Manchester.
   Martin Cartwright, banker (банки́р) from New York.

   Prepare the Russian visitor for the meeting by explaining who
   the people are. Pronounce the names with a Russian accent.
   Add some more examples of your own.

6. **Language game**
   Give everyone in the group a Russian name.
   Then find some objects that you know in Russian, or use picture cards:

   па́спорт - ла́мпа - вино́ - во́дка - лимона́д - биле́т - су́мка

   The teacher gives an object to each student:
   – Бори́с! Вот ваш па́спорт!
   – Спаси́бо.
   и т.д.

   Then the students give the objects back, still using Russian:
   – Вот мой па́спорт!
   – Спаси́бо.

   Students then try to remember who owns what:
   – Это па́спорт Бори́са?
   – Да, э́то па́спорт Бори́са.
   – Это вино́ Ната́ши?
   – Нет, э́то вино́ Вади́ма!

сувени́р из Москвы́

Антóн и Вéра

Вот квартúра. Здесь живýт Антóн и Вéра. Антóн Михáйлович Петрóв 27
– э́то стáрый друг И́горя, а Вéра Владúмировна Петрóва – э́то егó
женá. Квартúра недалекó от метрó «Плóщадь Лéнина».

У Антóна и Вéры два сы́на, Сергéй и Вадúм. Сергéй – программúст.
Вадúм – музыкáнт. Женá Вадима Марúя – украúнка. У Вадúма и Марúи
есть дóчка Елизавéта. Знáчит Антóн – дéдушка, а Вéра – бáбушка.

У Антóна и Вéры есть сувенúр из Амéрики для И́горя. Это картúна из
Калифóрнии.

квартúра	-	flat	(он / онá) живёт	- (he / she) lives
(они) живýт	-	(they) live	украúнка	- Ukrainian woman
стáрый	-	old	знáчит	- that means
друг	-	friend	картúна	- a picture
егó	-	his	Калифóрния	- California
программúст	-	programmer		

Вопрóсы к тéксту

а. Это квартúра И́горя?
б. Где квартúра?
в. Кто Сергéй?
г. Вадúм – программúст?
д. Антóн – дéдушка?

е. Вéра – бáбушка?
ж. Марúя рýсская?
з. Кто Елизавéта?
и. Где живёт Елизавéта?

Перевóд

– Hello! My name is Natasha. What is your name?
– My name is Boris. I am from Moscow. And you?
– I am from Kiev. I am Ukrainian.
– May I have coffee? I have an allergy to tea.
– Sorry. We only have tea or lemonade.
– OK, lemonade please.
– I have a souvenir for you.
– What is it? A picture! Very good! Thank you! Is it from Washington?
– No, it is from Boston.
– Is that your book?
– No it is not mine. It is Marina's book. And this is Anton's book.

красúвый	-	beautiful
гóрод	-	town
легкó	-	it is easy
к немý	-	to his place
приéхать	-	to come (by transport)

Стихотворéние - Poem 28

Красивый город Петербург!
Антон и Вера там живут.
Есть в этом городе метрó.
Антон живёт недалеко:
От центра города легко
К нему приехать на метро!
С.М. Козлов. 2008

Still at Zoya Petrovna's flat, Ivan meets Vadim.

In this lesson you will:

❏   learn to say where you have been and to talk about the past in certain situations

❏   learn to talk about countries you have visited and languages that you speak

❏   meet the numbers 10-100

❏   meet the months of the year.

The grammar includes:

❏   the use of ты and вы - two forms of "you"

❏   the prepositional case, used with в and на meaning "at" a place

❏   infinitives ending in -ать, -ить and -еть

❏   the basic rules of the past tense

❏   the genitive singular of feminine nouns in -ия

❏   the full present tense of знать - "to know"

There is practice of writing a note in Russian using the past tense, and information about Russian national holidays and about Christmas and the New Year in Russia.

The reading passage is about Anton and Vera's flat in Saint Petersburg, and there is a song for learners «Из аэропо́рта в центр».

> The Ruslan 1 workbook contains 19 additional exercises for this lesson, including 3 listening exercises.
> The Ruslan 1 CD Rom contains 29 additional exercises with sound.

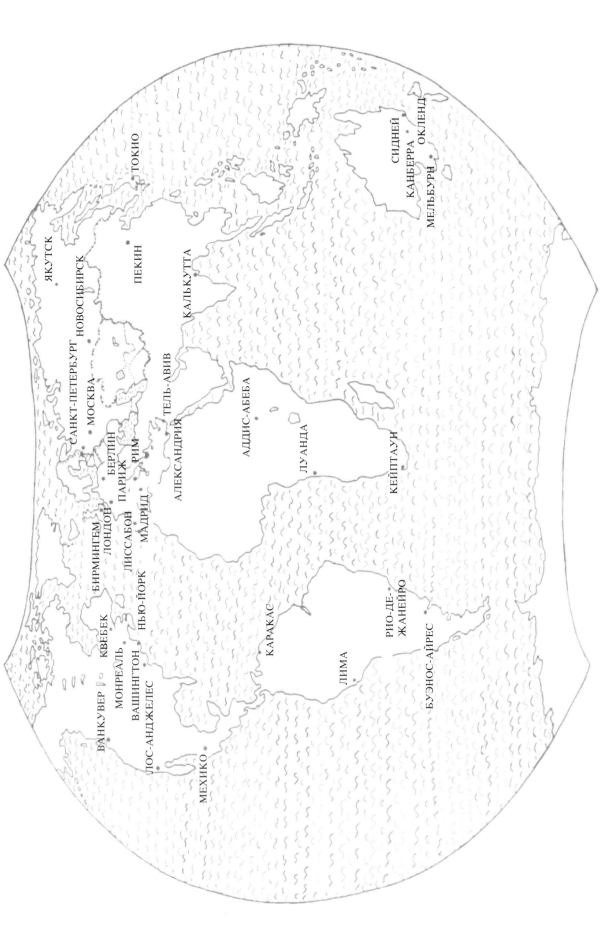

(30) At the Zvonovs' flat

Зо́я Петро́вна: Так вы сего́дня пря́мо из Ло́ндона?
А что вы там де́лали? Рабо́тали?

Ива́н: Да, я рабо́тал. А что вы там де́лали, Людми́ла?

Людми́ла: Я уже́ говори́ла.

(31) The doorbell rings

Зо́я Петро́вна: Я ду́маю, что э́то Вади́м. Я сейча́с...

Зо́я Петро́вна: Вади́м, проходи́ скоре́е, смотри́, кто у нас.

Вади́м: Людми́ла! Вот э́то сюрпри́з! А мы вас
сего́дня не жда́ли.

Зо́я Петро́вна: Мы жда́ли вчера́.

Людми́ла: Вот как?!

Вади́м: Ну, я о́чень рад вас ви́деть.

Людми́ла: Я то́же о́чень ра́да.

(32)

Зо́я Петро́вна: Вади́м, э́то Ива́н.

Вади́м: Ива́н??

Зо́я Петро́вна: Ива́н Козло́в... из Сара́нска.

Вади́м: Ах, ну да, коне́чно. Ива́н Козло́в из Сара́нска.
Коне́чно. Очень прия́тно! Сара́нск. Да,
слы́шал. Столи́ца Мордо́вии, да? Это далеко́?

Ива́н: Не о́чень далеко́. Три́дцать часо́в на по́езде.*

Людми́ла: Ива́н был в Ло́ндоне.

Вади́м: В Ло́ндоне? А что вы там де́лали?

Ива́н: Рабо́тал. У меня́ была́ командиро́вка в Ло́ндон.

Вади́м: Очень интере́сно! Бизнесме́н из Сара́нска
рабо́тает в Ло́ндоне?!

* Ivan didn't get this right. It is about 15 hours from Moscow to Saransk by train:
Пятна́дцать часо́в на по́езде.

(33)

Зо́я Петро́вна: Вади́м, ты сего́дня обе́дал?

Вади́м: Да, обе́дал. Так вы бизнесме́н?! Это о́чень
интере́сно! А что вы де́лаете в Москве́?

Ива́н: У меня́ здесь то́же рабо́та.

Вади́м: Наве́рно, вы миллионе́р. У вас фи́рма в Москве́, и
сего́дня вы пря́мо из Ло́ндона... Очень интере́сно!
А я Вади́м Бори́сович Зво́нов. Кинокри́тик.
Вот, пожа́луйста, моя́ визи́тка. А вы, прости́те?...

Ива́н: Ива́н Никола́евич Козло́в.

Вади́м: Очень рад, Ива́н Никола́евич. Бизнесме́н, миллионе́р
из Сара́нска. Прекра́сно! А где ещё вы бы́ли?
В Вашингто́не? В Нью-Йо́рке? В То́кио?

Зо́я Петро́вна: Лю́да! Вади́м! Ива́н! Иди́те обе́дать!

Людми́ла: С удово́льствием, Зо́я Петро́вна.

Вади́м: Ива́н Никола́евич, проходи́те, пожа́луйста.
А скажи́те, вы говори́те по-англи́йски...?

быть	to be	тóже	also
так	so	слы́шать	to hear
сегóдня	today	слы́шал	I've heard
(pronounced "sivódnya")		столи́ца	capital
вы дéлали	you were doing	Мордóвия	Mordovia
(see grammar)		три́дцать часóв	thirty hours
дéлать	to do	на пóезде	by train
рабóтать	to work	командирóвка	business trip
ужé	already	интерéсно	interesting
говори́ть	to say / to speak	ты	you (familiar)
ду́мать	to think	обéдать	to have lunch
Проходи́(те)!	Come through!	рабóта	work
	(by foot)	навéрно	probably
скорéе	(more) quickly	миллионéр	millionaire
Смотри́(те)	Look!	фи́рма	firm
сюрпри́з	surprise	кинокри́тик	film critic
мы	we	визи́тка	visiting card
вас	you (accusative)	прости́те	I'm sorry
ждать	to wait	прекрáсно	wonderful
вчерá	yesterday	ещё	else / another
Вот как!	Oh, really!	Иди́те!	Go! / Come!
ну	well		(by foot)
рад / рáда (m. / f.)	glad	с удовóльствием	with pleasure
ви́деть	to see	по-англи́йски	in English

ИНФОРМАЦИЯ	**УРОК 4**

Moscow and the provinces. Saransk

To live in Moscow has long been a considerable privilege, and smaller cities in Russia are often regarded as somewhat provincial. Saransk is one of these. A city of some 350,000 people, south east of Moscow, and capital of the republic of Mordovia, Saransk is a major producer of electric light bulbs.

Пóезд в Сарáнск

www

Numbers 10 - 100

10	де́сять
11	оди́ннадцать
12	двена́дцать
13	трина́дцать
14	четы́рнадцать
15	пятна́дцать
16	шестна́дцать
17	семна́дцать
18	восемна́дцать
19	девятна́дцать
20	два́дцать
21	два́дцать оди́н
22 etc.	два́дцать два ...
30	три́дцать
31 etc.	три́дцать оди́н ...
40	со́рок
50	пятьдеся́т
60	шестьдеся́т
70	се́мьдесят
80	во́семьдесят
90	девяно́сто
100	сто

Months of the year www

янва́рь
февра́ль
март
апре́ль
май
ию́нь
ию́ль
а́вгуст
сентя́брь
октя́брь
ноя́брь
дека́брь

> The Russians use small letters for the months of the year.

Коло́менское в январе́

ГРАММАТИКА   УРОК 4

Ты и вы

There are two words for "you" in Russian, the formal or plural вы and the informal ты. Use ты when talking to a child or a school student and вы when talking to an adult, unless he or she is a relative or a close friend.
If you are a young person yourself, then use ты with other young people.
If in doubt, use вы and wait for the Russian to invite you to change to ты.
He or she will say:

    Мо́жно на ты? -   Can we use ты?   or
    Дава́й на ты!   -   Let's use ты!

When talking to more than one person, always use вы.
In letters and official documents Вы is normally written with a capital letter.

Смотри́!   Look!

The -те ending on imperatives is left off when you are using the familiar ты form of address. Also Здра́вствуйте! has the familiar form Здра́вствуй!

Infinitives

A large number of infinitives end in -ать, -ить or -еть.

    де́лать - to do   говори́ть - to speak   ви́деть - to see

The past tense of verbs

The past tense is formed by replacing the infinitive ending -ть with:
-л if the subject is masculine, -ла if feminine, -ло if neuter and -ли if plural.

Ива́н не рабо́тал вчера́.	Ivan didn't work yesterday.
Людми́ла уже́ обе́дала.	Lyudmila has already had lunch.
Что вы там де́лали?	What were you doing there?

There may be stress changes, especially with common verbs in the feminine.

    Она́ жила́ в Москве́.   She was living in Moscow.

To say "was" or "were", use the past tense of the verb быть - "to be"

Masculine - он / я / ты был   Neuter - оно́ бы́ло
Feminine - она́ / я / ты была́   Plural - они́ / мы / вы бы́ли

Вади́м был в теа́тре.	Vadim was at the theatre.
Людми́ла была́ в Ло́ндоне.	Lyudmila has been to / was in London.
Это бы́ло в Ки́еве.	It was in Kiev.
Вы бы́ли в Москве́?	Have you been to / Were you in Moscow?

> For the negative, the particle не is stressed in the masculine,
> neuter and plural: Он не́ был там. He hasn't been there.

столи́ца Мордо́вии - the capital of Mordovia

Feminine nouns ending in -ия have the genitive ending -ии.

    ка́рта Росси́и   a map of Russia
    сувени́р из Калифо́рнии a souvenir from California

The prepositional case is used after в and на to say where someone or something is. It answers the question где? - "where?".
Most nouns have the prepositional singular ending -e. This is added to most masculine nouns and replaces the feminine ending -a or -я.

– Где ваш биле́т?	– В су́мке.
– Где Эрмита́ж?	– В Петербу́рге.
– Где рестора́н?	– На Арба́те.

Masculine nouns in -ь replace -ь with -e.

    ию́нь - в ию́не   in June

Feminine nouns in -ия and -ь have the endings -ии and -и.

Росси́я	- в Росси́и	in Russia
Пермь	- в Перми́	in Perm (a town in Central Russia)
пло́щадь	- на пло́щади	on the square

The present tense of знать - "to know"

я зна́ю	I know	мы зна́ем	we know
ты зна́ешь	you know (familiar)	вы зна́ете	you know (polite or plural)
он / она́ зна́ет	he / she knows	они́ зна́ют	they know

Many verbs with the infinitive ending -ать conjugate in the same way.

1. Find the correct answer according to the story

а. Что Иван делал в Лондоне?	Нет, он из Саранска.
б. Людмила была в Лондоне?	Да, он обедал.
в. Иван из Москвы?	Он работал.
г. Иван был в Лондоне?	Да, она была в Лондоне.
д. Вадим обедал сегодня?	Да, он был в Лондоне.

2. Choose phrases to fill in the blanks

а. Большой театр _____ Москвы.

б. У Ивана _____ три сувенира.

в. Сегодня я обедаю _____.

г. До Саранска 15 часов _____.

д. Виза _____.

в чемодане
на поезде
в центре
в ресторане
в паспорте

3. Choose words to fill in the blanks

а. Где вы _____ вчера?

б. Вадим не _____ в Лондоне.

в. Зоя Петровна тоже не _____ в Лондоне.

г. Он уже _____ в Лондоне и в Токио.

д. Вчера мы _____ в ресторане.

был
была
были

е. Что вы _____ в Лондоне?

ж. Вы _____ вчера?

з. Он _____, что я _____ в Саранске.

и. Я _____ вас в ресторане.

работали
был
знал
делали
ждал

4. Иван и Людмила. Put their dialogue into the past tense

Иван: Что вы делаете в Лондоне?   _____

Людмила: Я работаю.   _____

Иван: А где в Лондоне вы работаете? _____

Людмила: Я работаю в центре.   _____

Иван: А где вы живёте?   _____

Людмила: Я живу в гостинице.   _____

5. Insert the verb in brackets.   Use the present tense

а. Я не _____, где у́лица Че́хова.   [знать]

б. Вы _____, что Ива́н миллионе́р?   [ду́мать]

в. Где вы _____ сего́дня?   [обе́дать]

г. Они́ _____ в теа́тре.   [рабо́тать]

д. Англича́нин не _____.   [понима́ть]

е. Ты _____, где она́ _____?   [знать, рабо́тать]

ж. Мы _____ в рестора́не.   [обе́дать]

ЧИТА́ЙТЕ!

Национа́льные пра́здники Росси́йской Федера́ции
1. Which months have the most official holidays?
2. Which Russian national holidays are the same as national holidays in your country?

www

НАЦИОНА́ЛЬНЫЕ ПРА́ЗДНИКИ

Но́вый год и Рождество́	1-8 января́
День защи́тника Оте́чества	23 февраля́
Междунаро́дный же́нский день	8 ма́рта
Пра́здник Весны́ и Труда́	1 ма́я
День Побе́ды	9 ма́я
День Росси́и	12 ию́ня
День наро́дного еди́нства	4 ноября́

национа́льный	national
пра́здник	holiday
но́вый	new
год	year
Но́вый год	New Year
Рождество́	Christmas
день	day
защи́тник	protector
оте́чество	fatherland
междунаро́дный	international
же́нский	women's
весна́	spring
труд	labour
побе́да	victory
наро́дный	national
еди́нство	unity

День Побе́ды

The Russians use the Orthodox calendar for religious festivals. Christmas is on January 7th.

34
Lyudmila and Vadim are having dinner
1.   Is Vadim sure about Ivan's wealth?
2.   Is Vadim a millionaire?
3.   In which hotel does Lyudmila say she stayed in London?

ЧИТАЙТЕ И ПИШИТЕ!

Lyudmila received this note. Write her answer. Ask your teacher to check
the result before you write up a final version.

 35

> *Ресторан „Прага". Суббота.*
>
> Людмила!
> Где Вы были? Я долго
> ждал сегодня в ресторане.
> Может быть, Вы забыли?
> Может быть, Вы работали?
> Пожалуйста, позвоните.
> Ваш Степан.

забы́ть   to forget
до́лго   for a long time
мо́жет быть   perhaps

Say sorry, you forgot.
You were working
in London.

1. **Questions and answers about the map on page 57**
    Talk about the map of the world. Which towns can you identify in Russian? Which places have you been to?
    Ask each other questions.

    – Вы бы́ли в Мадри́де?
    – Нет, я не́ был / не была́ в Мадри́де.

    > Note that names of cities that do not end with -а, -я, -ь, -й
    > or with a consonant are unlikely to change their endings.

2. **Pair work**
    Which of these cities have you been to? Compare notes with different partners. Check the pronounciation with your teacher before you start.

Ло́ндон - Пари́ж - Берли́н - Санкт-Петербу́рг				
Мадри́д - Ливерпу́ль - Москва́ - Чика́го - Рим				
Бирминге́м - Амстерда́м - Нью-Йорк - Окленд				

    – Вы бы́ли в Берли́не?
    – Да, я был / была́ в Берли́не.
    – А вы бы́ли в Чика́го?
    – Нет, не́ был / не была́.

3. **Language game for a group**
    This is for a group of four to six people in a circle.

    The first person says where he / she was yesterday, using one building and one city.

    Франк: Я был в рестора́не в Москве́.

    The second repeats what the first person said, and then says where he / she was, and so on around the circle.

    Джу́ли: Франк был в рестора́не в Москве́, а я была́ в рестора́не
    в Бо́стоне.
    Джеймс: Франк был в рестора́не в Москве́, Джу́ли была́
    в рестора́не в Бо́стоне, а я был в теа́тре в Вашингто́не.
    и т.д.

    The last person has to remember everything, but you can all help.
    Then talk to others in the group, trying to remember as much as you can of who was where.

4.   Кто инженёр?

Communication game to practise: "Я дýмаю, что..."
Make a list on the board of words you know for different professions.
Learners choose their profession from the list.

– Я аналúтик.
– Я инженéр.
... и т.д.

The task is then to remember who chose which profession.

– Я дýмаю, что Мэ́ри инженéр.
– Нет. Я не инженéр, я аналúтик.
– Я дýмаю, что Пúтер инженéр.
... и т.д.

5.   Countries and languages

Ask people in the group whether they can speak different languages,
and how well they can speak them.

– Вы говорúте по-францýзски?
– Да.
– Вы хорошó говорúте по-францýзски?
– Нет, не óчень хорошó.

Countries	Languages	
Амéрика (США)	по-англúйски	
Австрáлия		
Канáда		
Нóвая Зелáндия		
Англия		
Шотлáндия		
Ирлáндия		
Фрáнция	по-францýзски	
Гермáния	по-немéцки	
Грéция	по-грéчески	
Итáлия	по-итальянски	Европа
Пóльша	по-пóльски	
Россúя	по-рýсски	
Испáния	по-испáнски	
Украúна	по-украúнски	
Егúпет	по-арáбски	
Китáй	по-китáйски	Азия
Япóния	по-япóнски	

Как вы говорúте?

well	хорошó	not very well	не óчень хорошó
quite well	довóльно хорошó	a bit	немнóжко
very well	óчень хорошó	badly	плóхо

6.   Арифме́тика

Ask each other questions with numbers.
(Answers not higher than 100)

–   Два́дцать два плюс два́дцать два?   –   Со́рок четы́ре!
–   Три́дцать ми́нус оди́ннадцать?   –   Девятна́дцать!
–   Со́рок два плюс три́дцать три?
–   Девяно́сто шесть ми́нус шестна́дцать?
–   23 + 18?
–   59 - 34?
–   77 + 12?
–   100 - 23?
и т.д.

THE NEW YEAR AND CHRISTMAS

Russian winter celebrations do not start until the New Year, when there is a New Year Fir Tree and champagne at midnight. New Year's Day is the day for children's presents, which are brought by Father Frost and his little helper, Snegurochka, the Snow Maiden.

There is a long public holiday and then Christmas, according to the old Orthodox calendar, is celebrated on January 7th. It is a religious festival with midnight mass in the churches.

The "Old New Year" (New Year according to the old Orthodox calendar) is celebrated on January 13th.

С Но́вым Го́дом!
Happy New Year!

New Year	Но́вый Год
New Year tree	ёлка
champagne	шампа́нское
presents	пода́рки
Father Frost	Дед Моро́з
Snegurochka	Снегу́рочка
Christmas	Рождество́
Old New Year	Ста́рый Но́вый Год

Happy New Year!	С Но́вым Го́дом!
Happy Christmas!	С Рождество́м!

(These are instrumental endings. See lesson 10.)

36

У Антóна и Вéры

Игорь в квартúре у Антóна и Вéры. Вéра óчень рáда егó вúдеть.
Но Антóн не óчень рад. Он учúтель в шкóле. У негó мнóго рабóты.

Вéра – журналúст. Онá рабóтает в газéте «Аргумéнты и Фáкты».
Рáньше онá жилá и рабóтала в Москвé. Там тáкже рабóтала её
коллéга Людмúла Кúсина, бúвшая женá Игоря. Да, у Игоря рáньше
былá женá Людмúла и есть сын Руслáн. Но тепéрь Игорь живёт одúн.

Вéра былá в США, в Китáе, в Япóнии и в
Мéксике. Онá хорошó говорúт по-англúйски
и по-испáнски и немнóжко понимáет
по-китáйски. Онá не говорúт по-япóнски.
Онá говорúт, что в Нью-Йóрке и Пекúне
бúло óчень интерéсно.

Игорь был в командирóвке в Украúне,
Гермáнии и Пóльше. Он хорошó говорúт
по-немéцки и немнóжко понимáет
по-пóльски. Он не говорúт по-украúнски,
но егó партнёр в Кúеве говорúт по-рýсски.

Кúев. Вокзáл

Вопрóсы к тéксту

а. Где живýт Антóн и Вéра?
б. Кто муж Вéры?
в. Где он рабóтает?
г. Где рабóтает Вéра?
д. Где онá рабóтала рáньше?
е. Где онá былá?
ж. Онá говорúт по-англúйски?
з. Игорь говорúт по-украúнски?
и. Кто говорúт по-украúнски?

учúтель	-	teacher
шкóла	-	school
мнóго	-	a lot
у негó	-	he has
газéта	-	newspaper
аргумéнты	-	arguments
фáкты	-	facts
коллéга	-	colleague
бúвший	-	former
рáньше	-	earlier, before
тáкже	-	also
США	-	USA
Мéксика	-	Mexico
немнóжко	-	a little bit
Пекúн	-	Beijing
партнёр	-	partner

Перевóд

– What did you do in Washington?
– I worked there. I had a business trip to the USA.
– Very interesting! Were you in New York?
– Yes. I have a partner there.
– Is New York far from Washington?
– Not very far. Four hours by train.
– Where else (где ещё) have you been?
– I have been in Russia, Japan and Canada.
– How interesting! What did you do there?
– Sorry. I have a lot of work today. Here is my business card.
– Thank you. And your firm is in Samara! How interesting!
– Yes, in Samara. Sorry. Goodbye.

«Из аэропо́рта в центр»

Из аэропо́рта как пое́дем
в центр го́рода Москвы́?
Авто́бус есть, но, как тури́сты,
мы пое́дем на такси́. } x 2

Там, в це́нтре, мы посмо́трим
Моско́вский Кремль и Мавзоле́й,
а е́сли бу́дет у нас вре́мя,
мы посмо́трим и музе́й! } x 2

Вы не ска́жете, Мари́на,
где здесь у́лица Арба́т?
Она́ не зна́ет, я не зна́ю,
э́то на́до нам узна́ть! } x 2

До Арба́та не о́чень бли́зко.
Где здесь ста́нция метро́?
А я хочу́ в Большо́й теа́тр.
Это то́же далеко́! } x 2

А вы зна́ете, где Ва́ня?
Нет, не зна́ю. Где же он?
Там в ГУ́Ме покупа́ет
он моби́льный телефо́н. } x 2

To the tune of the old Russian song
«Из-за острова на стрежень» 37

мы	-	we
как	-	how, as
мы пое́дем	-	we will go (by transport)
го́род	-	town
тури́сты	-	tourists
мы посмо́трим	-	we will look at
Моско́вский Кремль	-	The Moscow Kremlin
Мавзоле́й	-	(Lenin's) mausoleum
е́сли бу́дет у нас вре́мя		
	-	if we will have time
Вы не ска́жете?	-	Will you tell me?
на́до нам узна́ть	-	we must find out
о́чень	-	very
я хочу́	-	I want
Ва́ня	-	Vanya (diminutive of Ivan)
ГУМ	-	GUM (Main Universal Shop)
он покупа́ет	-	he is buying
моби́льный телефо́н	-	mobile phone

LESSON 5	ГОСТИНИЦА	УРОК 5

Ivan checks in to the Hotel Mars, finds his room and calls Lyudmila to invite her out.

In this lesson you will:
- ❑ learn some of the words you will need if you stay in a Russian hotel
- ❑ learn to ask whether places are open
- ❑ learn the days of the week.

The grammar includes:
- ❑ the short form of adjectives
- ❑ the present tense of the verb говори́ть - "to speak"
- ❑ a note on imperfective and perfective verbs
- ❑ the use of с with the genitive meaning "from"
- ❑ the use of у меня́ and у вас to convey "I have" and "you have".

There is practice filling in the registration form for a Russian hotel and there is information about the Kremlin, about hotels, and about GUM - ГУМ - the former Moscow State Department Store.

In the reading passage Igor is on a business trip to Novosibirsk.

> The Ruslan 1 workbook contains 16 additional exercises for this lesson, including 3 listening exercises.
> The Ruslan 1 CD Rom contains 28 additional exercises with sound, including a video exercise.

Гости́ница Ба́лчуг в це́нтре Москвы́

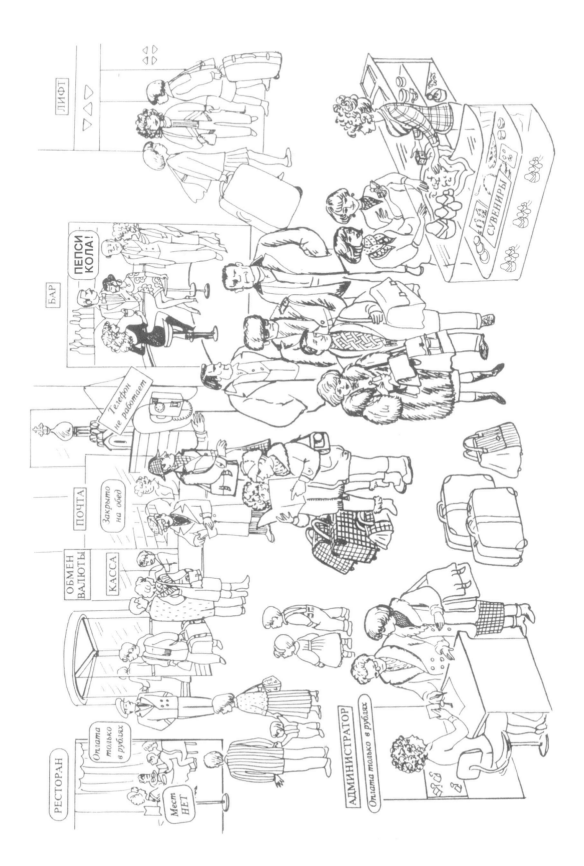

Ива́н в гости́нице «Марс»

39

Ива́н:	Здра́вствуйте!
Администра́тор:	Я вас слу́шаю.
Ива́н:	Мо́жно заказа́ть но́мер?
Администра́тор:	Сейча́с... Да, мо́жно. Вы оди́н?
Ива́н:	Да, оди́н. До пя́тницы мо́жно?
Администра́тор:	До пя́тницы? Да, э́то мо́жно.
	Запо́лните э́тот бланк.

He fills in the form

40

Ива́н:	Вот, пожа́луйста.
Администра́тор:	Хорошо́. Вы из Сара́нска, да? Вот ключ.
	Ва́ша ко́мната но́мер два́дцать пять.
	Это нале́во. У вас есть бага́ж?
Ива́н:	Да, вот: чемода́н и су́мка.
	Скажи́те, в но́мере есть телефо́н?
Администра́тор:	Коне́чно, всё есть. Телефо́н, телеви́зор, душ.
Ива́н:	И всё рабо́тает?
Администра́тор:	Вот э́то я не зна́ю.
Ива́н:	А рестора́н есть в гости́нице?
Администра́тор:	Да, рестора́н и буфе́т. В рестора́не есть бар.
Ива́н:	Бар сейча́с откры́т?
Администра́тор:	Нет. Он закры́т. Сейча́с уже́ по́здно.
Ива́н:	Как жаль! А когда́ рабо́тает рестора́н?
Администра́тор:	Рестора́н сейча́с то́же закры́т, а за́втра он
	откры́т с ча́са.
Ива́н:	Спаси́бо. Мо́жно заказа́ть чай?
Администра́тор:	Мо́жно, коне́чно. До за́втра.

Типи́чный иностра́нец

41

Англича́нин:	Мо́жно заказа́ть биле́т в Большо́й теа́тр?
Администра́тор:	Коне́чно, но то́лько за́втра. Сего́дня ка́сса уже́
	закры́та.
Англича́нин:	Хорошо́, я понима́ю, спаси́бо. А где магази́н ГУМ?
Администра́тор:	ГУМ в це́нтре, напро́тив Кремля́.
Англича́нин:	Спаси́бо.

Ivan telephones Lyudmila

42

Ива́н:	Алло́!... Зо́я Петро́вна? Извини́те, что я так по́здно...
	А... Лю́да у вас? ... Да, е́сли мо́жно.
	Лю́да, я приглаша́ю вас за́втра в рестора́н. Как вы на
	э́то смо́трите? ... Хорошо́?! ... Ну, прекра́сно! Тогда́
	здесь, в гости́нице, в час. ... Что? ... Да, рестора́н
	в гости́нице. До свида́ния. До за́втра.

A knock at the door

Ива́н:	Да?
Дежу́рная:	Извини́те, вот ваш чай.
Ива́н:	Спаси́бо.
Дежу́рная:	Пожа́луйста.
Ива́н:	А скажи́те, у вас Интерне́т есть?
Дежу́рная:	Да, коне́чно. Интерне́т есть в фойе́ и в ба́ре.
Ива́н:	Спаси́бо.

администра́тор	administrator
я вас слу́шаю	I'm listening to you (ready to serve you)
заказа́ть (perf.)	to book
но́мер	hotel room, number
оди́н (m.)	on your own
пя́тница	Friday
запо́лнить (perf.)	to fill in
бланк	a form
ключ	key
У вас есть?	Do you have?
телеви́зор	TV set
душ	shower
всё	everything
буфе́т	snack bar
бар	bar
за́втра	tomorrow
откры́т	open
закры́т	closed
по́здно	late
Как жаль!	What a shame!

когда́	when
час	1 o'clock
с (+ gen.)	from (a time)
с ча́са	from 1 o'clock
но	but
ка́сса	booking office cash desk
магази́н	shop
напро́тив (+ gen.)	opposite
кремль (m.)	Kremlin
Алло́!	Hello! (on phone)
е́сли	if
приглаша́ть	to invite
смотре́ть	to look at
Как вы на э́то смо́трите?	What do you think of that?
тогда́	then / in that case
До свида́ния!	Goodbye!
Интерне́т	Internet
фойе́	foyer

www **ГУМ - Гла́вный Универса́льный Магази́н**
This is the former Госуда́рственный Универса́льный Магази́н - "State Department Store" which has been renamed Гла́вный Универса́льный Магази́н - "Main Department Store". Previously it was an enormous State organised shop. Now it is divided into sections which are leased out to high class Russian and Western retailers.

Гости́ницы - Hotels
Accommodation normally has to be booked before you travel to Russia. Such bookings are made in Western-style hotels.

If you stay in a Russian-style hotel, be ready to pay on arrival. In a Russian hotel, the **администра́тор** looks after the reception desk. The **дежу́рная** is the lady who looks after your floor, usually with a desk on the landing.

Кремль
www This means "fortress". The Kremlin is not unique to Moscow. There is a Kremlin in several old Russian towns and cities.

Моско́вский Кремль и Москва́-река́

Days of the week

Monday	понеде́льник
Tuesday	вто́рник
Wednesday	среда́
Thursday	четве́рг
Friday	пя́тница
Saturday	суббо́та
Sunday	воскресе́нье

> The Russians use small letters for the days of the week.

ГРАММАТИКА

До за́втра! - "Till tomorrow!"
сего́дня - today   за́втра - tomorrow   вчера́ - yesterday
These three words never change their endings.

Short adjectives

Short adjectives are used in sentences like "The restaurant is closed".
They agree with the noun they are describing.

Masculine:	Рестора́н закры́т.	The restaurant is closed.
Feminine:	Ка́сса была́ откры́та.	The cash desk was open.
Neuter:	Бюро́ закры́то.	The office is shut.

Рестора́н откры́т с ча́са.   The restaurant is open from 1 o'clock.

The word "с" has two meanings. Here it means "starting from a certain time"
and takes the genitive case.

с ча́са   - from 1 o'clock
с пя́тницы   - from Friday

> In lesson 10 you will meet "с" meaning "with", taking the instrumental.

говори́ть - "to speak" or "to say" - a second conjugation verb

я говорю́	I speak	мы говори́м	we speak
ты говори́шь	you speak (familiar)	вы говори́те	you speak (polite or plural)
он / она́ говори́т	he / she speaks	они́ говоря́т	they speak

For the conjugation of **смотре́ть** (another second conjugation verb which
has stress changes) and for other examples, see the verb review, page 152.

Verb aspects

Most Russian verbs have two infinitives, one imperfective and the other
perfective. These are called "aspects".

The verbs that you have used so far to form the present tense - e.g. **знать**,
рабо́тать, **смотре́ть** - have all been imperfective.

You have also met several perfective verbs. These are used to denote single
actions and so far you have met them in the past tense or in the infinitive
only. For example, **заказа́ть** - "to order", **останови́ться** -
"to stay" or "to stop". These perfective verbs are not used to form the
present tense. In "Ruslan 2" you will use them for future tenses.

у меня́ есть, у вас есть

There is no commonly used verb "to have" in Russian. Say instead:
"In the possession of me / of you / of Ivan etc. there is".

У меня́ есть биле́т.	I have a ticket.
У вас есть бага́ж?	Do you have any luggage?
У Ива́на есть телефо́н.	Ivan has a phone.
У Людми́лы есть секре́т.	Lyudmila has a secret.

For the past tense "had" use был / была́ / бы́ло / бы́ли:

У И́горя был сувени́р.	Igor had a souvenir.
У меня́ была́ командиро́вка.	I had a business trip.

1.   Answer the questions on the dialogues

а.   Ива́н заказа́л но́мер в гости́нице «Ба́лчуг»?
б.   В но́мере Ива́на есть телефо́н?
в.   Телефо́н рабо́тает?
г.   В гости́нице есть рестора́н?
д.   Бар был откры́т?
е.   Рестора́н был откры́т?
ж.   Гости́ница была́ откры́та?
з.   Ива́н заказа́л ко́фе?
и.   В но́мере Ива́на есть Интерне́т?

2.   Fill in the blanks

а.   Ива́н _____ в гости́нице.
б.   В но́мере _____ телефо́н.
в.   Рестора́н _____ с ча́са.
г.   В гости́нице ка́сса _____ .
д.   Ива́н _____ чай.
е.   Вы _____ телеви́зор?
ж.   Телефо́н в но́мере не _____ .
з.   Администра́тор _____ на бага́ж.

закры́та
заказа́л
есть
был
смо́трит
рабо́тает
откры́т
смо́трите

3.   Fill the blanks in the phone conversation

Я вас _____ в рестора́н.
Очень _____! А когда́?
За́втра, в _____ .
Хорошо́! А _____ ?
Здесь в _____ в _____ .

хорошо́
приглаша́ю
рестора́не
где
час
гости́нице

4.   Put the sentences into the present tense

а.   Ива́н смотре́л телеви́зор.   _____
б.   Бар был закры́т.   _____
в.   Иван был в но́мере.   _____
г.   Ка́сса была́ закры́та.   _____
д.   Людми́ла рабо́тала в Москве́.   _____
е.   Мы зна́ли Санкт-Петербу́рг.   _____
ж.   Они́ не понима́ли.   _____

You have arrived at the Hotel «Марс». Fill in the registration form in Russian handwriting

www

ГОСТИНИЦА «МАРС» - АНКЕТА ГОСТЯ

Фамилия   _____

Имя   _____

Отчество   _____

Адрес:

    Страна   _____

    Почтовый индекс   _____

    Город   _____

    Улица   _____

    Дом №   _____

    Квартира №   _____

Гражданство   _____

Профессия   _____

Дата рождения   _____

Место рождения   _____

Номер паспорта   _____

Цель приезда   _____

Число   _____

Подпись   _____

анке́та	questionnaire
гость (m.)	guest
о́тчество	patronymic name
страна́	country
почто́вый и́ндекс	post code
го́род	town
дом	house
гражда́нство	nationality
профе́ссия	occupation
да́та	date
ме́сто	place
рожде́ние	birth
цель (f.)	purpose
прие́зд	arrival / visit
число́	date
по́дпись (f.)	signature

44 **Ivan phones his Moscow boss**

1. What is the name of Ivan's boss?
2. When did Ivan arrive from London?
3. Where is the hotel «Марс»?
4. Does Ivan know where to go tomorrow?
5. What does Ivan's boss write down?

ГОВОРИТЕ И ПИШИТЕ!

1. **Make up sentences about where people work**

Профе́ссии	Места́ рабо́ты
арти́ст	больни́ца
журнали́ст	бюро́
кло́ун	газе́та
медсестра́	Кремль
президе́нт	такси́
профе́ссор	теа́тр
секрета́рь	университе́т
учи́тель	цирк
шофёр	шко́ла

The first one has been done for you.

When you say "in the Kremlin" the stress moves to the end of the word: "в Кремле́".

Note the two alternative ways of writing the letter "т": *m/т*
Below we have used the first.

Арти́ст рабо́тает в теа́тре.

_____

_____

_____

_____

_____

_____

_____

1. Role-play. A hotel guest and the receptionist

Ask if you can book a room.	Yes, of course.
Ask about a telephone, television, shower, and whether they are working.	Make up your own answers.
Is the restaurant open?	No, it's closed.
Is the bar open?	No, it's closed.
Ask if you can order tea.	Yes, of course.

2. Language game for a group

A variation of "bingo". Everyone has the same list of places in the town.

Ресторáн - Кáсса - Банк - Музéй
Поликлúника - Гостúница - Теáтр

The teacher decides which places are open. At least three.

The learners tick three places they would like to go to.

Then take turns asking questions and see who can find the most places that are open.

– Скажúте, пожáлуйста, банк откры́т?
– Нет, банк закры́т.
– Как жаль!

– Поликлúника откры́та?
– Да. Откры́та.
– Хорошó, спасúбо.

Once learners are used to this activity, it can be played in smaller groups and learners can take the place of the teacher.

ЧИТАЙТЕ И ПИШИТЕ!

Игорь в Новосибирске

45

Сего́дня понеде́льник. Игорь в командиро́вке в Новосиби́рске, столи́це Сиби́ри. Он заказа́л но́мер в гости́нице «Новосиби́рск» до четверга́. В но́мере есть телеви́зор, сейф, холоди́льник и телефо́н, но нет Интерне́та. Там та́кже есть душ и туале́т.

Сего́дня у Игоря была́ встре́ча в це́нтре. Сейча́с уже́ по́здно. Рестора́н закры́т, и Игорь у́жинает в ба́ре. У Игоря в Новосиби́рске есть знако́мая, Не́лли. Она́ администра́тор в о́фисе в це́нтре го́рода. За́втра Игорь приглаша́ет Не́лли в теа́тр и в рестора́н.

Он заказа́л два биле́та в теа́тр и сто́лик в рестора́не на у́лице Свердло́ва. Это украи́нский рестора́н. Не́лли о́чень ра́да.

Вопро́сы к те́ксту

а. Где сего́дня Игорь?
б. Новосиби́рск в Сиби́ри?
в. В но́мере Игоря есть телефо́н?
г. В но́мере есть холоди́льник?
д. В но́мере есть Интерне́т?
е. Игорь у́жинает в рестора́не?
ж. Где рабо́тает Не́лли?
з. Что заказа́л Игорь?
и. Где украи́нский рестора́н?

Сиби́рь (f.)	- Siberia
сейф	- a safe
холоди́льник	- fridge
интерне́т	- Internet
туале́т	- toilet
душ	- shower
встре́ча	- a meeting
у́жинать	- to have supper / evening meal
знако́мая	- an acquaintance (f.)
о́фис	- office
сто́лик	- restaurant table
украи́нский	- Ukrainian

Перево́д

- May I reserve a room until Tuesday?
- Yes, you may. What is your family name?
- My family name is Markova. Natalya Vladimirovna Markova.
- Are you on your own?
- Yes, I am on my own.
- Fill out the form. Where is your passport? Good. Here is your key. Your room is number 38. The lift is on the right.
- Is there a shower in the room?
- Yes of course.
- Good. Is the restaurant open now?
- No, it's already late. The restaurant is closed.
- What a shame!
- There is an Italian restaurant on Pushkin Street (улица Пушкина). It is not far. And the bar in the hotel is open.
- Thank you. Is there Internet in the hotel?
- Yes, in the bar.
- Thank you. Till tomorrow.

ГОСТИНИЦА «НОВОСИБИРСК»

 www

Тел. (383) 220-11-20
Факс. (383) 220-65-17
www.hotelfree.ru

Гостиница расположена
в центре города, напротив
железнодорожного вокзала.

Проживание в гостинице

Люкс двухкомнатный - высшая категория: душ, туалет, кондиционер,
телевизор, холодильник и
телефон.

Однокомнатный - высшая категория: душ, туалет, телевизор,
Одноместный - вторая категория: холодильник и телефон.
Двухместный - вторая категория:

Завтрак (шведский стол)
включён в стоимость номера.

Конференцзалы:
Большой зал - до 150 чел.
Малый зал - до 30 чел.
Переговорная комната - до 10 чел.

This is Igor's hotel in Novosibirsk
1. He is on his own and on a budget. Which room will he choose?
2. What is the only luxury he will miss out on?
3. Will he have to pay extra for breakfast?
4. He wants to hire a room for a meeting of three or four people.
   Which room will he choose?

Ivan and Lyudmila are in the restaurant of the hotel "Mars". Just as they are starting their meal, who should arrive but Vadim with a new companion!

You will learn:
- ❑ words for food and drink
- ❑ how to read a menu and order a meal in a Russian restaurant.

The grammar includes:
- ❑ the verbs
  хотéть - to want
  идти́ - to go by foot
- ❑ the imperatives
  Дáйте! - Give (me)!
  Принеси́те! - Bring (me)!
- ❑ the endings of neuter nouns
- ❑ the accusative singular of nouns
- ❑ adjectives in the nominative case
- ❑ the word for "which" - какóй.

The information sections are about the great Russian poet A.S. Pushkin and about Russian food. The reading passage describes Igor and Nelly's visit to a restaurant in Novosibirsk.

The Ruslan 1 workbook contains 18 additional exercises for this lesson, including 3 listening exercises.
The Ruslan 1 CD Rom contains 27 additional exercises with sound, including a video exercise.

Блины́, водá, винó, вóдка и ры́ба!
Pancakes, water, wine, vodka and fish!

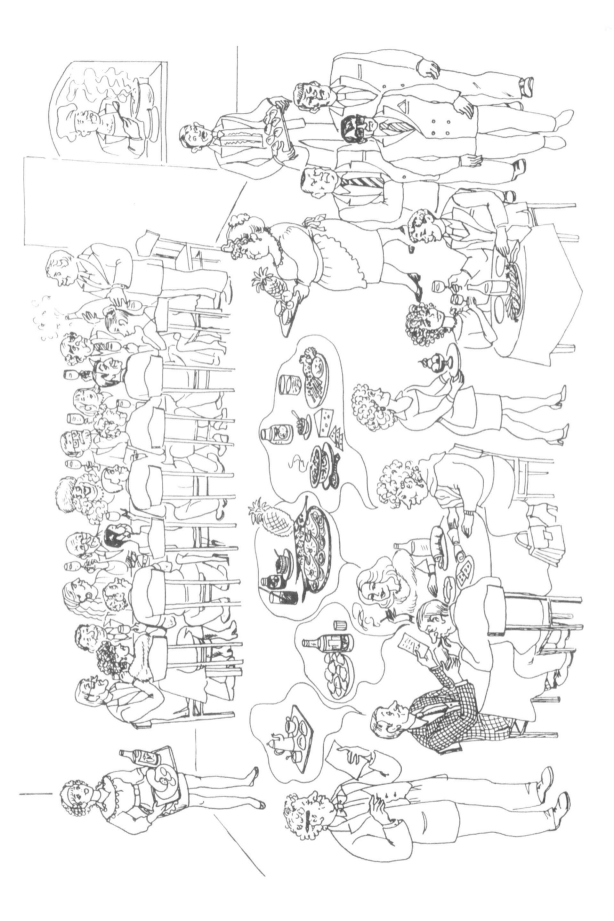

В ресторане

47

Иван:	Здравствуйте, Людмила.
Людмила:	Здравствуйте.
Иван:	Проходите, пожалуйста. Хороший ресторан, правда? Вот свободный столик. Садитесь, пожалуйста.
Людмила:	Иван, вы хорошо знаете Москву?
Иван:	Конечно. А вот и официантка! Девушка!...
Официантка:	Минуточку!

Меню

48

Иван:	Девушка, можно посмотреть меню?
Официантка:	Вот, пожалуйста, меню.
Иван:	Так... закуски: московский салат, красная и чёрная икра, колбаса, сыр. Напитки: пиво, водка, вино, минеральная вода... Людмила, что вы хотите?...

Напитки и закуски

49

Иван:	Девушка, дайте бутылку водки и бутылку пива.
Людмила:	А вино у вас есть?
Официантка:	Конечно.
Людмила:	Какое у вас вино?
Официантка:	Красное и белое.
Людмила:	Принесите мне белое вино.
Иван:	Да-да, конечно, принесите белое вино. А сколько стоит икра? Ого! Икра очень дорогая!
Людмила:	Принесите мне, пожалуйста, икру...
Иван:	А мне сыр, и чёрный хлеб.
Людмила:	А мне белый хлеб, пожалуйста..
Официантка:	Это всё?
Иван:	Да, это всё.

Интимный вопрос

50

Иван:	Людмила, теперь, пока мы одни, можно задать вам один интимный вопрос? У вас есть Руслан?
Людмила:	Что? Руслан? Почему вы спрашиваете?
Иван:	Потому, что мне очень интересно.
Людмила:	Я не понимаю. Смотрите кто там... Вадим!
Иван:	Вадим... и не один!
Вадим:	Людочка! Приятного аппетита! Что ты здесь делаешь? Какой сюрприз!... И Иван Николаевич, вы тоже здесь!
Иван:	Да, я тоже здесь. Здравствуйте, Вадим Борисович. Садитесь, пожалуйста.
Вадим:	Да нет, спасибо, мне пора, я не один. Мы идём на оперу. До свидания, Люда.

Типи́чный англича́нин

51

Англича́нин: Извини́те, вы говори́те по-англи́йски?
Официа́нтка: Нет.
Англича́нин: Извини́те, что тако́е «борщ»?
Официа́нтка: Это суп.
Англича́нин: А что тако́е «щи»?
Официа́нтка: Это то́же суп.
Англича́нин: Хорошо́. Да́йте, пожа́луйста, моско́вский сала́т!

хоро́ший	good
пра́вда	truth
пра́вда?	isn't it?
свобо́дный	free
сто́лик	small table
Сади́тесь!	Sit down!
официа́нтка	waitress
де́вушка	young lady
	(used for the waitress)
Мину́точку!	Just a minute!
посмотре́ть (perf.)	to have a look at
меню́	menu
моско́вский	Moscow (adj.)
кра́сный	red
чёрный	black
хоте́ть	to want
Да́йте!	Give (me / us)!
буты́лка	bottle
како́й	what sort of / which
бе́лый	white
Принеси́те!	Bring (me / us)!
ско́лько?	how much?
сто́ить	to cost
Ско́лько сто́ит?	How much does it cost?
дорого́й	dear / expensive
тепе́рь	now
пока́	while
мы одни́	we are alone
зада́ть вопро́с (perf.)	to ask a question
инти́мный	intimate

почему́	why
потому́ что	because
спра́шивать	to ask
пора́	it's time
Мне пора́.	It's time for me (to go)
Прия́тного аппети́та!	Enjoy (your) meal!
	(pronounced "Priyátnava ...")
идти́	to go (by foot)
о́пера	opera
Что тако́е ...?	What is ...?

> Vocabulary for the food items is listed separately on page 89.

Пи́во «Ба́лтика»
"Baltika" beer

«Русла́н и Людми́ла»

This is a famous poem by A.S. Pushkin (1799-1837). It is a love story set in a mystical kingdom where the hero Русла́н goes through numerous adventures in order to save his bride, Людми́ла, from evil forces. Eventually real love overcomes evil and they are united. Ива́н is referring to this story when he asks Людми́ла:

– У вас есть Русла́н?

А.С.Пушкин
Автопортрет

www **Alexander Sergeyevich Pushkin** (1799-1837) is revered in Russia as the greatest Russian poet. In his short life he wrote a great number of poems and epic poems, as well as short stories and plays. His works are still very popular today, and the first lines of his poem «Русла́н и Людми́ла» are well known by Russian children.

www

«Русла́н и Людми́ла»

У лукомо́рья дуб зелёный;
Злата́я цепь на ду́бе том:
И днём и но́чью кот учёный
Всё хо́дит по цепи́ круго́м;
Идёт напра́во – песнь заво́дит,
Нале́во – ска́зку говори́т. ...

"Ruslan and Lyudmila"
By the seashore there is a green oak;
There is a golden chain on that oak:
And day and night a learnéd cat
Walks round and round on the chain;
He goes to the right and sings a song,
To the left and tells a fairy tale. ...

ГРАММАТИКА

хоте́ть - "to want" - an irregular verb

я хочу́, ты хо́чешь, он / она́ хо́чет, мы хоти́м, вы хоти́те, они хотя́т

идти́ - "to go" (by foot)

я иду́, ты идёшь, он / она́ идёт, мы идём, вы идёте, они иду́т

е́хать - "to go" (by transport)

я е́ду, ты е́дешь, он / она́ е́дет, мы е́дем, вы е́дете, они е́дут

Да́йте ... ! - Give (me / us) ... !

This is the imperative of the perfective verb дать - "to give".

Да́йте, пожа́луйста, моско́вский сала́т!

Give me a Moscow salad please!

Принеси́те ... ! - Bring (me / us) ... !

This is the imperative of the perfective verb принести́ - "to bring".

Принеси́те, пожа́луйста, ко́фе!   Bring me a coffee, please!

Neuter nouns

We saw in lesson 2 that neuter nouns usually end in -о or -е:

    вино́ - wine   мо́ре -   the sea

Most neuter noun endings are the same as those of masculine nouns.
For example the genitive ends in -а or -я:

    вина́ - of wine   мо́ря - of the sea

The neuter form of мой is моё and of ваш is ва́ше

Где моё пи́во?	Where is my beer?
Это ва́ше вино́?	Is this your wine?

The accusative case is used for the direct object of a verb

Inanimate masculine nouns and neuter nouns stay the same.
Feminine nouns change -а to -у or -я to -ю.
Feminine nouns in -ь stay the same.

Вы зна́ете Ло́ндон?	Do you know London?
Вы зна́ете Москву́?	Do you know Moscow?
Да́йте буты́лку!	Give (us) a bottle!
Он хорошо́ зна́ет Росси́ю.	He knows Russia well.
Я люблю́ мо́ре.	I love the sea.

The case endings are used even when the verb is left out:

Мне икру́!	(Bring) the caviare for me!

The accusative is also used with в or на meaning "to" a place

Я иду́ в рестора́н.	I am going to the restaurant.
Мы идём на о́перу.	We are going to an opera.

Here в or на answer the question word куда́? - "where to?" (Lesson 7).

Adjectives in the nominative case

Adjectives agree with the nouns they describe.
The nominative endings are:

Masculine	-ый, -ий or -о́й	-о́й is always stressed
Feminine	-ая or -яя	the soft ending -яя is quite rare
Neuter	-ое or -ее	the soft ending -ее is quite rare

Большо́й теа́тр	the Bolshoy (big) theatre
моско́вский сала́т	Moscow salad
чёрный хлеб	black bread
кра́сная икра́	red caviare
бе́лое вино́	white wine

како́й - кака́я - како́е

како́й is an adjective meaning "what" or "which"

Како́й вопро́с?	What question?
Кака́я прия́тная встре́ча!	What a pleasant meeting!
Како́е сча́стье!	What happiness!

1. Choose the correct answers

а.	Ива́н ду́мает, что рестора́н хоро́ший?	Да / Нет
б.	В рестора́не есть вино́?	Да / Нет
в.	Икра́ дорога́я?	Да / Нет
г.	Кто хо́чет икру́? Ива́н и́ли Людми́ла?	Ива́н / Людми́ла
д.	Кто хо́чет сыр? Ива́н и́ли Людми́ла?	Ива́н / Людми́ла
е.	Како́й хлеб хо́чет Ива́н?	Бе́лый / Чёрный
ж.	Како́й хлеб хо́чет Людми́ла?	Бе́лый / Чёрный
з.	Вади́м оди́н и́ли не оди́н?	Оди́н / Не оди́н

2. Fill in the gaps in the conversation

– _____, вот Вади́м!	де́лает
– А что он здесь _____?	оди́н
– Я не _____, что он де́лает.	он
– А он не _____!	Смотри́те
– Да, _____ не оди́н!	аппети́та
– _____ сюрпри́з!	Како́й
– Прия́тного _____!	зна́ю

3. Gap fill. Change the ending if necessary

– Что вы хоти́те?

– Я хочу́ _____ и _____   [сала́т / вино́]

– А я хочу́ _____, _____ и _____.   [икра́ / хлеб / во́дка]

– Я хочу́ _____ и _____ вина́.   [икра́ / буты́лка]

– Я тоже хочу́ _____.   [вино́]

– Хорошо́! Де́вушка, принеси́те, пожа́луйста,

_____, _____, _____, _____,

_____, _____ и _____.

ЧИТА́ЙТЕ И ПИШИ́ТЕ!

1. Make a note in Russian of what you would choose from the menu opposite.

_____

_____

_____

_____

МЕНЮ

МЕНЮ

ЗАКУСКИ
Икра красная
Икра чёрная
Салат «Московский»
Колбаса
Сыр голландский

ПЕРВЫЕ БЛЮДА
Борщ
Щи
Окрошка
Солянка

ВТОРЫЕ БЛЮДА
Бефстроганов
Котлеты по-киевски
Пельмени
Осетрина заливная
Шашлык
Цыплёнок жареный

СЛАДКИЕ БЛЮДА
Мороженое
Салат фруктовый
Ананас

ГОРЯЧИЕ НАПИТКИ
Чай
Кофе

НАПИТКИ
Сок яблочный
Сок томатный
Красное вино
Белое вино
Шампанское
Пиво «Жигулёвское»
Водка «Столичная»

ананáс	pineapple
бефстрóганов	beef Stroganoff
борщ	beetroot soup
винó	wine
водá	water
вóдка	vodka
вторы́е блю́да	second dishes (the main course)
голлáндский	Dutch
горя́чий	hot
жáреный	roasted, fried
«Жигулёвское»	a brand of beer
закýски	hors d'oeuvre
заливнóй	in aspic
икрá	caviare
крáсная икрá	red caviare
чёрная икрá	black caviare
колбасá	salami
котлéта	burger
крáсный	red
минерáльный	mineral
морóженое	ice cream
москóвский	Moscow (adj.)
напи́тки	drinks
окрóшка	clear soup (cold, made with kvas or kefir)
осетри́на	sturgeon
пельмéни	dumplings
пéрвые блю́да	first dishes (usually soups)
пи́во	beer
по-ки́евски	Kiev fashion
салáт	salad
сиби́рский	Siberian
слáдкий	sweet
сок	juice
соля́нка	soup with ingredients that include pickled or salted cucumbers
«Столи́чная»	brand of vodka
суп	soup
сыр	cheese
томáтный	tomato (adj.)
фруктóвый	fruit (adj.)
хлеб	bread
бéлый хлеб	white bread
чёрный хлеб	black bread
цыплёнок	young chicken
чай	tea
чёрный	black
шампáнское	champagne
шашлы́к	shashlyk
щи	cabbage soup
я́блочный	apple (adj.)

Reading the menu

In menus the adjectives are normally printed after the nouns, but when you talk about the item you put the adjective in front in the normal way.

You read: – Салáт «Москóвский».
You say: – Я хочý Москóвский салáт.

Russian Food
The daily meals are: **за́втрак** - breakfast, **обе́д** - the main meal of the day, and **у́жин** - the evening meal.

заку́ски - starters
These can be **сала́ты** (salads), cold meat and fish dishes, pickles and **пирожки́** (small savoury pies).

пе́рвое блю́до - the first course
Usually **суп** (soup), served all year round, and often with **смета́на** (sour cream). **Борщ** (beetroot soup) and **щи** (cabbage soup) are well known in the West. **Окро́шка** is a clear cold soup, **соля́нка** is made with pickled cucumbers and **уха́** is fish soup.

второ́е блю́до - the second course
This is the main course, perhaps meat - **говя́дина** (beef), **свини́на** (pork) or fish - **форе́ль** (trout), **лосо́сь** (salmon), **осетри́на** (sturgeon), or perhaps **цыплёнок** (young chicken), **пиро́г** (pie), **шашлы́к** (shashlyk).

сла́дкое - dessert
Perhaps **блины́** (pancakes), or **торт** (a cake). **Фрукто́вый сала́т** (fruit salad) or **моро́женое** (ice cream).

Tea, often with lemon, or coffee is usually served with the dessert.

напи́тки - drinks
If vodka is drunk, it is not normal to sip your glass. It is more usual to drink only when someone in the group makes a toast. Russian champagne - **шампа́нское** - is an excellent sparkling white wine. Kvas - **квас** is made from fermented rye bread, sugar and water.

If you are a vegetarian - **вегетариа́нец** / **вегетариа́нка** - then meals out can sometimes be difficult, although in summer Russian salads are excellent.

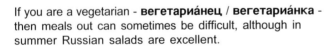 53 **Vadim is having a meal with his new acquaintance Vera**
1. Why does Vera not want caviare?
2. What does Vera want to drink?
3. Name two items that Vadim ordered.
4. What do Vadim and Vera think of this restaurant?

1.

2.

3.

www

4.

5.

6.

7.

8.

9.

1. Что есть что?

Борщ и щи
Колбаса́ «Моско́вская»
Сиби́рские пельме́ни
Котле́та по-ки́евски
Осетри́на заливна́я
Росси́йский сыр
Грузи́нский шашлы́к
Красна́я и чёрная икра́
Фрукто́вый сала́т и Муска́т
Моско́вский сала́т
Во́дка «Столи́чная», минера́льная вода́, вино́ и шампа́нское.

10.

11.

2. Language game for a small group

The first person says one thing that he or she wants to eat or drink:
Пи́тер: Я хочу́ бефстро́ганов.
The next person repeats this in the third person, and then adds what he or she wants:
А́нна: Пи́тер хо́чет бефстро́ганов, а я хочу́ икру́.
The next person adds another item and so on.

Then try to remember what everyone wants:
– Вы хоти́те бефстро́ганов, да?
– Да, а вы хоти́те борщ?
– Нет, я хочу́ щи.
– А я хочу́ пельме́ни!

ГОВОРИТЕ!

3. Pair up the nouns and adjectives

хлеб	бе́лый
вино́	кра́сный
рестора́н	большо́й
центр	моско́вский
кни́га	но́вый
теа́тр	дорого́й
сала́т	инти́мный
буты́лка	комме́рческий
сто́лик	индустриа́льный
биле́т	свобо́дный
	кита́йский

Кита́йский рестора́н

One learner calls out a noun from box on the left. Others then have to find adjectives from the box on the right that will go with the chosen noun.
Read out the word pairs with the correct endings.

– Буты́лка! – Больша́я буты́лка!
 – Но́вая буты́лка!
 – Дорога́я буты́лка!

4. Food from different countries
Collect pictures of food from different countries.
Then ask questions about them.
– Это францу́зский сыр?
– Да. Это францу́зский сыр.
– Это францу́зское вино́?
– Нет. Это испа́нское вино́.
– Где италья́нское вино́?
– Вот оно́!

америка́нский
англи́йский
голла́ндский
гре́ческий
грузи́нский
испа́нский
италья́нский
кита́йский
неме́цкий
по́льский
ру́сский
украи́нский
францу́зский
япо́нский

5. Role-play (for pair work)
You are in the restaurant of the hotel «Марс».
Say it is a good restaurant. Agree.
Suggest looking at the menu. Agree.

Use the menu on page 89 and decide together
what you want to eat.

Order the meal from your teacher or another learner who plays the
part of the waiter.

If there are some items not available, then you will have to choose again!

Украи́нский рестора́н

 54

Сего́дня Игорь и Не́лли иду́т в украи́нский рестора́н в Новосиби́рске. Рестора́н хоро́ший и не о́чень дорого́й. Вот свобо́дный сто́лик. Они́ чита́ют меню́.

На пе́рвое они́ зака́зывают украи́нский борщ, на второ́е Игорь хо́чет котле́ты по-ки́евски, а Не́лли – варе́ники. На десе́рт Не́лли зака́зывает фрукто́вый сала́т, а Игорь – пирожки́.

Официа́нтка прино́сит хлеб и заку́ски: сала́т «Украи́на», колбасу́ и солёные огурцы́, во́дку для Игоря и бе́лое вино́ для Не́лли.

В рестора́не та́кже у́жинает америка́нский бизнесме́н. Он то́лько немно́жко говори́т по-ру́сски. Америка́нец не хо́чет суп. Он зака́зывает пи́во, бифште́кс, карто́шку, фрукто́вый сала́т, моро́женое и ко́фе.

Вопро́сы к те́ксту

зака́зывать	- to order
варе́ники	- stuffed dumplings
приноси́ть	- to bring
солёный	- salted
огуре́ц	- cucumber

а. Куда́ Игорь и Не́лли иду́т сего́дня?
б. Рестора́н дорого́й?
в. Что зака́зывают Игорь и Не́лли на пе́рвое и на второ́е?
г. Что они́ зака́зывают на десе́рт?
д. Каки́е заку́ски прино́сит официа́нтка?
е. Что они́ пьют?
ж. Америка́нец хорошо́ говори́т по-ру́сски?
з. Он зака́зывает типи́чный украи́нский у́жин?

Перево́д

– Come in. Sit down, please. Here's a free table.
– May I see the menu?
– Here it is. What do you want?
– A moment, please! Natasha, what do you want? (use ты)
They read the menu...
– Waiter! Where are you?
– I am here!
– Good. We want caviare and Moscow salad. What wine do you have?
– We have Georgian wine, red and white.
– Bring us white wine and a bottle of beer.
– I am sorry. We don't have any beer.
– What a shame! White wine for me also, please.
– Of course.
– For the first course (на первое) I want beetroot soup and my wife wants cabbage soup. And for the second course (на второе) bring beef Stroganoff and Siberian dumplings.
– Very good.
...
– Here are your starters. Bon appetit!

Ivan and Lyudmila are still in the restaurant, talking about their lives and interests. Lyudmila has to leave when things get serious, and Ivan hurries to pay the bill.

You will learn to:
- ❏ say something about what you like doing in your free time
- ❏ talk about the town / area in which you live.

The grammar includes:
- ❏ more nouns ending in a soft sign. These can be masculine or feminine
- ❏ nouns ending in -мя. These are neuter
- ❏ the preposition о meaning "about", which takes the prepositional case
- ❏ how to form impersonal expressions and adverbs from adjectives: интере́сно - "it is interesting"
- ❏ nouns ending in -ция
- ❏ numbers above 100.

There is information about the river Volga. The reading section is about Nelly's life in Novosibirsk, and there is a song for learners - «Люблю́ я борщ».

At this stage you should thoroughly revise the verbs you have met so far in the course. See the verb review, pages 152-153.

The Ruslan 1 workbook contains 18 additional exercises for this lesson, including 5 listening exercises.
The Ruslan 1 CD Rom contains 30 additional exercises with sound.

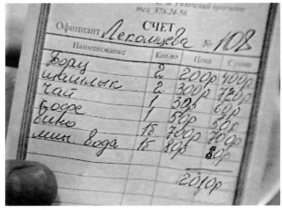

Счёт. The bill

Людми́ла и Ива́н в рестора́не

56

Ива́н:	Лю́да, у вас тако́е краси́вое и́мя – Людми́ла!... А как обе́д?
Людми́ла:	Ничего́, спаси́бо. Рестора́н действи́тельно хоро́ший.
Ива́н:	Лю́да, расскажи́те мне о себе́: где вы живёте, где рабо́таете? Почему́ вы живёте у Вади́ма? Кто он вам? Мо́жет быть, он ваш «Русла́н»?
Людми́ла:	Нет. Снача́ла расскажи́те о себе́.
Ива́н:	Вы уже́ всё обо мне зна́ете: я живу́ и рабо́таю в Сара́нске.
Людми́ла:	Вы действи́тельно миллионе́р?
Ива́н:	Ну, не зна́ю... Почему́ вы так ду́маете?
Людми́ла:	Потому́ что Вади́м говори́л, что у вас мно́го де́нег.
Ива́н:	Ах, Вади́м говори́л! Ну, э́то не интере́сно. Расскажи́те о себе́. Что вы лю́бите де́лать в свобо́дное вре́мя?
Людми́ла:	Я люблю́ ходи́ть в кино́, в теа́тр, смотре́ть телеви́зор, слу́шать му́зыку... люблю́ чита́ть.
Ива́н:	А что вы лю́бите чита́ть? Вы лю́бите чита́ть о любви́?
Людми́ла:	Ива́н! Не на́до!

57

Ива́н:	А тепе́рь расскажи́те о Вади́ме.
Людми́ла:	Вади́м изве́стный кинокри́тик. Вы не чита́ли его́ кни́гу?
Ива́н:	Нет, не чита́л.
Людми́ла:	Это интере́сный челове́к. Он ча́сто приглаша́ет меня́ в Дом Кино́.
Ива́н:	И э́то всё?
Людми́ла:	Я же вам говорю́: мы ча́сто хо́дим в кино́ и в теа́тр вме́сте. И э́то всё. Тепе́рь расскажи́те о Сара́нске. Это на Во́лге?
Ива́н:	Нет, Сара́нск не на Во́лге, но э́то не о́чень далеко́ от Во́лги. Дово́льно большо́й индустриа́льный го́род. Столи́ца Мордо́вии.
Людми́ла:	А что там мо́жно де́лать?
Ива́н:	Как и везде́: ходи́ть в кино́ и в теа́тр, смотре́ть телеви́зор, чита́ть, говори́ть о любви́...
Людми́ла:	Ну, мне пора́! Уже́ по́здно. Спаси́бо за вку́сный обе́д.
Ива́н:	Лю́да, куда́ вы идёте?
Людми́ла:	Нет-нет, мне пора́, я иду́ домо́й...
Ива́н:	Хорошо́. Пойдёмте!

Ivan pays the bill

58

Ива́н:	Де́вушка! Да́йте, пожа́луйста, счёт.
Официа́нтка:	Вот, пожа́луйста.
Ива́н:	Ого́! Вот э́то да! Инфля́ция! Три ты́сячи, три́ста три́дцать рубле́й. Хорошо́. Ты́сяча, две ты́сячи, три ты́сячи, три́ста и три́дцать.
Официа́нтка:	Спаси́бо.
Ива́н:	Пожа́луйста.

Типичный англичанин

Англичанин: Извините, у меня суп холодный.
Официантка: Да, холодный.
Англичанин: А что делать?
Официантка: Какой у вас суп? Окрошка?
Англичанин: Да. А что?
Официантка: Она всегда холодная!

красивый	beautiful	же	but
имя (n.)	name		(adds emphasis)
обед	lunch / meal	вместе	together
действительно	really	Волга	Volga river
рассказать (perf.)	to tell	довольно	rather
о себе	about oneself	индустриальный	industrial
жить	to live	город	town
сначала	first (adverb)	везде	everywhere
потом	then	вкусный	tasty
так	in this way	куда	where to
много	a lot	Пойдёмте!	Let's go!
деньги	money	счёт	bill
денег	of money	Ого!	Aha!
любить	to love	инфляция	inflation
время (n.)	time	тысяча	a thousand
ходить	to go	триста	three hundred
	(by foot, regularly)	рубль (m.)	rouble
читать	to read	рублей	of roubles
слушать	to listen to	холодный	cold
музыка	music	окрошка	clear soup served
любовь (f.)	love		cold, made with
о любви	about love		kvas or kefir
Не надо!	Don't!	всегда	always
известный	well known		
кинокритик	cinema critic		
человек	person		
часто	often		
Дом Кино	a Moscow art house and cinema		

Волга

The largest and longest European river, the Volga, is 3,692 kilometres (2,294 miles) long. Its source is north of Moscow and it flows through Central Russia to the Caspian Sea. The Volga is joined up to Moscow and Saint Petersburg by canals, lakes, and other rivers, and is one of Western Russia's major transport links, though not in the winter when it is frozen.

 www

Ключ

1. Яросла́вль
2. Ни́жний Но́вгород
3. Сара́нск
4. Каза́нь
5. Тамбо́в
6. Воро́неж
7. Сама́ра
8. Сара́тов
9. Волгогра́д
10. Астрахань

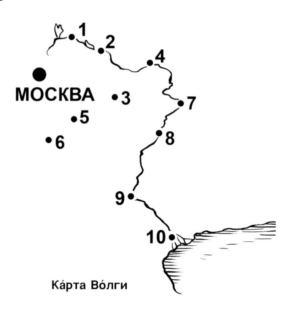

Ка́рта Во́лги

Pair work

– Сара́нск на Во́лге?
– Нет! Сара́нск не на Во́лге. А Сара́тов?
– Да. Сара́тов на Во́лге.
и т.д.

На Во́лге. Перево́зка не́фти
On the Volga. Transportation of oil

Verb review

Use the verb section in the grammar summary pages 152-153 to revise the verbs that you have met so far.

Что вы лю́бите де́лать? - What do you like doing?

For this construction, use люби́ть plus the infinitive.

    Я люблю́ чита́ть.   I love reading (I love to read).

Neuter forms of verbs in the present tense are the same as the masculine or feminine forms:

    Бюро́ рабо́тает.   The office is working (open).
    Вре́мя идёт.   Time passes.

In the past tense the neuter ending is -ло

    Это бы́ло интере́сно.   That was interesting.

The preposition "о" means "about" and takes the prepositional case which you met in lesson 4.

Вади́м	-	о Вади́ме
Москва́	-	о Москве́
любо́вь	-	о любви́ (feminine soft sign nouns)

The letter б is inserted before the vowels а, е, и, о, у and э:

о́пера	-	об о́пере
и́мя	-	об и́мени
"about me" is	-	обо мне́

Nouns ending in a soft sign -ь

These can be either masculine or feminine. You have to learn the gender when you learn the word. There are a few general rules:

  Abstract nouns ending in -ь are feminine: любо́вь - love
  Months of the year ending in -ь are masculine: ию́нь   - June

When nouns that end in a soft sign change, the endings are all soft

	Masculine		Feminine	
Nominative	ию́нь	- June	любо́вь	- love
Accusative	ию́нь	- June	любо́вь	- love
Genitive	ию́ня	- of June	любви́	- of love
Prepositional	в ию́не	- in June	о любви́	- about love

> The full declension of these nouns is given on pages 151 and 152.

вре́мя - time

A small number of Russian nouns end in -мя. These are all neuter.

    вре́мя - time
    и́мя   - name

The accusative is the same as the nominative: вре́мя / и́мя
The genitive and prepositional is вре́мени / и́мени

> The full declension of these nouns is given on page 151.

Impersonal constructions and adverbs

You can often form these from adjectives:

интере́сный челове́к	-	an interesting person
Это интере́сно.	-	That's interesting.
хоро́ший рестора́н	-	a good restaurant
Это хорошо́!	-	That's good!
Она́ хорошо́ рабо́тает	-	She works well

Most Russian words in -ция have English equivalents in "-tion"

инфля́ция	-	inflation
информа́ция	-	information
квалифика́ция	-	qualification
на́ция	-	nation
реконстру́кция	-	reconstruction
регистра́ция	-	registration

Exceptions
реализа́ция - sale of goods
(from the French réaliser)
экза́мен - examination

ЦИФРЫ	NUMBERS

Numbers above 100

www

100	сто	1000	ты́сяча
101	сто оди́н	1100	ты́сяча сто
102	сто два	2000	две ты́сячи
150	сто пятьдеся́т	3000	три ты́сячи
200	две́сти	4000	четы́ре ты́сячи
300	три́ста	5000	пять ты́сяч
400	четы́реста	10000	де́сять ты́сяч
500	пятьсо́т	21000	два́дцать одна́ ты́сяча
600	шестьсо́т	22000	два́дцать две ты́сячи
700	семьсо́т	100.000	сто ты́сяч
800	восемьсо́т	1.000.000	миллио́н
900	девятьсо́т	1.000.000.000	миллиа́рд

Use a full stop to separate thousands in the longer numbers.
Use a comma for the decimal point.

Pronunciation practice.
Buying 100 shashlyks

– Что вам ну́жно?
– Шашлыки́! Сто штук.
– Что?
– Шашлыки́!
– Ско́лько?
– Сто штук.
– Сто штук?!
– Да, сто штук.
– Хорошо́!

– Да́йте, пожа́луйста, два шашлыка́!

1. Answer the questions on the story

а. Людми́ла ду́мает, что рестора́н хоро́ший?

б. Что Людми́ла лю́бит де́лать в свобо́дное вре́мя?

в. Ива́н чита́л кни́гу Вади́ма?

г. Го́род Сара́нск на Во́лге?

д. Го́род Сара́нск далеко́ от Во́лги?

е. Сара́нск – это индустриа́льный го́род?

ж. Ива́н хорошо́ зна́ет Вади́ма?

2. Fill in the gaps according to the story

а. Ива́н _____ и _____ в Сара́нске.

б. Людми́ла _____ _____ телеви́зор.

в. Вади́м ча́сто _____ Людми́лу в кино́.

г. Сара́нск _____ индустриа́льный _____.

д. Людми́ла _____ домо́й.

идёт
лю́бит
рабо́тает
большо́й
живёт
приглаша́ет
го́род
смотре́ть

3. Fill in the gaps to complete the dialogue

– Что вы _____ в свобо́дное вре́мя?

– Я люблю́ _____ кни́ги.

– А вы лю́бите _____ в кино́?

– Да, коне́чно _____.

– А сего́дня вы _____ на о́перу «Карме́н»?

– Да, _____.

– Кто вас _____?

– _____!

приглаша́ет
идёте
де́лаете
люблю́
иду́
ходи́ть
чита́ть
Миллионе́р

4. People tend to talk about their own jobs or places of work. Make up sentences

Наприме́р:

– Футболи́ст говори́т о футбо́ле.

стюарде́сса	компью́тер
актёр	ко́смос
почтальо́н	фильм
программи́ст	теа́тр
журнали́ст	по́чта
космона́вт	тра́ктор
музыка́нт	журна́л
кинокри́тик	аэропо́рт
такси́ст	му́зыка
тракторист	маши́на

1. Which town is which?   (статистика на 2010г.)

а. Большо́й индустриа́льный го́род
на Во́лге. В Сове́тский пери́од
э́то был закры́тый го́род. Метро́.
Кремль. Аэропо́рт. Речно́й вокза́л.
Миллио́н две́сти пятьдеся́т ты́сяч
челове́к.   _____

б. Этот го́род постро́ил Пётр Пе́рвый
на реке́ Неве́. Он был столи́цей Росси́и.
Это бы́ло «окно́ в Евро́пу». Там в 1917-ом
году́ начала́сь Октя́брьская револю́ция.
Эрмита́ж. Зи́мний Дворе́ц.
Метро́. Аэропо́рт. Четы́ре миллио́на
восемьсо́т пятьдеся́т ты́сяч челове́к.   _____

в. Большо́й индустриа́льный го́род
в Сиби́ри недалеко́ от о́зера
Байка́л. Метро́. Аэропо́рт.
Шестьсо́т со́рок ты́сяч челове́к.   _____

г. Столи́ца Росси́и. Полити́ческий и
культу́рный центр страны́. Три
междунаро́дных аэропо́рта. Метро́.
Кремль. Оди́ннадцать миллио́нов
пятьсо́т ты́сяч челове́к.   _____

Ирку́тск
Москва́
Санкт-Петербу́рг
Ни́жний Но́вгород

2. А где вы живёте?
Write a few phrases about your own neighborhood / town.

_____

_____

_____

_____

_____

_____

_____

Listen to the conversation between Vadim and Vera 61

1. Where had Vera seen Lyudmila and Ivan?
2. What did Vadim think was funny?
3. Is Vera interested in Ivan?
4. Is Vadim eager to introduce Vera to Ivan?

Нижний Нóвгород - ýлица Большáя Покрóвка

ГОВОРИТЕ!

1. **Verb practice** www

    Make cards for some of the infinitives you know. Write each
    infinitive on a separate card. Make a second set of cards for the
    personal pronouns: я, ты, он, онá, мы, вы, они.

    One person turns up a verb card, another turns up a pronoun
    card. Then say the pronoun with the verb and the correct
    ending as quickly as you can.

    – Я люблю!

2. **Ask each other questions**
    – Вы лю́бите чита́ть кни́ги?
    – Вы лю́бите смотре́ть телеви́зор?
    – Вы лю́бите ходи́ть в рестора́н?
    – Вы лю́бите слу́шать му́зыку?
    – Вы лю́бите ходи́ть в теа́тр?

    Find others in the group who share your likes and dislikes
    – Вы лю́бите чита́ть кни́ги?
    – Да, люблю́.
    – Я то́же. А вы лю́бите смотре́ть телеви́зор?
    – Да, о́чень.
    – А я – нет!

3. **Пойдёмте вме́сте! Language game for a group**

    Decide three places you are going to from the list. Then try to find someone else in the group going to any of the same places, and agree to go together.

па́рк - банк - стадио́н - рестора́н - аэропо́рт - гости́ница поликли́ника - университе́т - кинотеа́тр - магази́н

    – Вы идёте в парк?
    – Нет. Я иду́ в поликли́нику, в банк и в рестора́н.
    – А куда́ вы идёте?
    – Я иду́ в парк, в гости́ницу и в рестора́н.
    – Хорошо́. Пойдёмте вме́сте в рестора́н.
    – Очень хорошо́!

4. **Куда́ вы идёте? Language game for a group**

    One person says where he or she is going.
    Пи́тер: Я иду́ в рестора́н.

    The next person repeats this in the third person and adds his or her own statement.
    Анна: Пи́тер идёт в рестора́н, а я иду́ в буфе́т.

    The next person adds another item, making the sentence longer all the time, until you have been round the whole group.

    Then talk to other people at random, trying to remember where they are going.
    – Вы идёте в центр, да?
    – Да, а вы идёте в банк?
    – Нет, я иду́ в поликли́нику.

Жизнь Нелли

 62

Игорь давно не видел Нелли и просит её рассказать о себе. Сейчас она живёт и работает в Новосибирске. Новосибирск – это столица Сибири, известный научный, индустриальный и культурный центр на реке Обь.

Муж Нелли, Николай Петрович, интересный человек. В свободное время он ездит далеко в горы или ловит рыбу. Он не любит ходить в кино и театр. Нелли ходит на оперу, на балет и на концерты одна.

У них есть сын Дима и дочь Наташа. Дима ходит в школу, а Наташа – в детский сад. Нелли работает в офисе в центре города. Она ездит на работу на трамвае.

жизнь (f.)	- life
давно	- for a long time
просить	- to ask
ездить	- to go
	(regularly, by transport)
горы	- hills, mountains
ловить рыбу	- to go fishing
у них есть	- they have
школа	- school
детский сад	- kindergarten
благодарить	- to thank
ужин	- evening meal
оплачивать	- to pay for

Уже поздно. Пора идти домой. Нелли благодарит Игоря за вкусный ужин, и Игорь оплачивает счёт.

Вопросы к тексту

а. Где живёт Нелли?
б. Какой город Новосибирск?
в. Кто муж Нелли?
г. Что он любит делать?
д. Куда Нелли ходит одна?
е. У них есть дети? Как их зовут?
ж. Где работает Нелли?
з. Кто оплачивает счёт в ресторане?

дети	- children
Как их зовут?	
	- What are their names?

Часовня Николая Чудотворца на Красном проспекте в Новосибирске.
The bell tower of Nikolay the Miraculous on Red Avenue in Novosibirsk.

Стихотворение

В Новосибирске как-то раз 63
Я в ресторане встретил вас.
Свободный столик рядом был;
«Как вас зовут?» – я вас спросил.
Вы не ответили тогда.
О Нелли, вы моя мечта!
Я в ресторане встретил вас
В Новосибирске как-то раз.

С.М. Козлов. 2008

как-то раз	- once
встретить (perf.)	- to meet
рядом	- nearby, next to
спросить	- to ask
ответить	- to reply
мечта	- a dream (daydream)

Перево́д

– What do you like to do in your free time?
– I like to go to the cinema and to the theatre. I like to go to concerts.
And you? Tell me about yourself.
– I live and work in Washington. It's the capital of America, and
  an important political and cultural city. I work in an office in the
  centre. I often watch TV. I listen to music and I read.
– Do you have children?
– Yes, I have a son. He goes to kindergarden.
– Well, it's time for me to go. It's already late.
– Perhaps yes. Let's go. But where is the metro?
– Not far, on Gagarin Street.

Юрий Гага́рин. Пе́рвый челове́к в ко́смосе

ПЕСНЯ	SONG

🌀 64 **Люблю́ я борщ**

Люблю́ я борщ
и щи, да и соля́нку.
Люблю́ я мя́со, сыр и колбасу́.
Люблю́ я да́же
ру́сскую овся́нку.
Люблю́ я всё,
не зна́ю почему́.

Swedish folk tune by Karl Boberg -
"O store Gud".
English version "How Great Thou Art".

Да рестора́н, уж э́то для меня́
рай на земле́, рай на земле́. } x 2

Ру́сский борщ

Люблю́ вино́,
шампа́нское и во́дку,
но зна́ю, э́то
пло́хо для меня́.
Пить бу́ду во́ду,
лимона́д и ко́фе,
тома́тный сок
и чай без молока́.

овся́нка	-	oatmeal
почему́	-	why
рай	-	Paradise
земля́	-	earth
я бу́ду пить	-	I will drink
без (+ gen.)	-	without
ждать	-	to wait

Дай мне меню́! А где официа́нт? }
Не на́до ждать! Не на́до ждать! } x 2

Peter arrives in Moscow and makes contact with Vadim and Lyudmila. Ivan invites Lyudmila out to the opera.

You will learn:
- ❏ to tell the time in whole hours
- ❏ about the time zones in Russia
- ❏ about making phone calls and answering the telephone.

The grammar includes:
- ❏ the nominative plural of nouns and adjectives
- ❏ the accusative plural of inanimate nouns and adjectives
- ❏ the genitive plural of masculine nouns
- ❏ short adjectives in the plural
- ❏ the verb мочь - "to be able to".

There is information about telephones in Russia. In the reading passage Igor is looking for a cash machine in Novosibirsk.

The Ruslan 1 workbook contains 20 additional exercises for this lesson, including 4 listening exercises.
The Ruslan 1 CD Rom contains 33 additional exercises with sound and including a video exercise.

Ру́сский анекдо́т www

— У вас така́я хоро́шая жена́. Она́ всё вре́мя на ку́хне.
— Да, но э́то потому́, что у нас на ку́хне телефо́н!

всё вре́мя - all the time
на ку́хне - in the kitchen

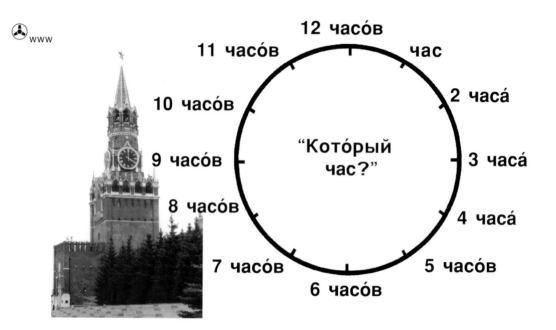

one o'clock is just	час	один is understood
two o'clock	два часа́	Numbers 2, 3 and 4
three o'clock	три часа́	take the genitive singular
four o'clock	четы́ре часа́	
five o'clock	пять часо́в	Numbers from 5 to 20
six o'clock	шесть часо́в	take the genitive plural
etc.		
twelve o'clock	двена́дцать часо́в	

The 24-hour clock is used for trains, flights etc.

14.00	Четы́рнадцать часо́в
21.00	Два́дцать оди́н час
22.30	Два́дцать два три́дцать и т.д.

What is the time?

– Ско́лько вре́мени? – What is the time?
– Кото́рый час? – What is the time? (more formal)
– Час. – It is one o'clock.
– Четы́ре часа́. – It is four o'clock.

At what time?

– Во ско́лько? – At what time?
– В кото́ром часу́? – At what time? (more formal)
– Когда́? – When?
– В час. – At one o'clock.
– В семь часо́в. – At seven o'clock

Peter arrived last night and wakes up in his hotel, already talking to himself in Russian!

🔊 66

Питер: Где я? Который час? Ужé дéсять часóв! Хорошó.
         А где здесь телефóн?

He dials the number

Вадим: Аллó!

Питер: Вадим Борисович? Дóброе ýтро! Это Питер говорит.
         Питер из Лóндона. Вы меня пóмните?

Вадим: Питер! Ну, конéчно, пóмню! Вы в Москвé?
         Когдá вы приéхали?

Питер: Вчерá вéчером.

Вадим: Какие у вас плáны?

Питер: У меня мáло врéмени, но сегóдня я свобóден.

Вадим: Тогдá, приезжáйте к нам. Где вы сейчáс?

Питер: В гостинице «Марс».

Вадим: Это совсéм близко. Я óчень рад.
         Вы звоните из гостиницы?

Питер: Да, из гостиницы. Запишите мой нóмер телефóна:
         241-05-79.

Вадим: Приезжáйте сегóдня вéчером!

Питер: Отлично! А когдá?

Вадим: В семь часóв.

Питер: Очень хорошó. Спасибо.

Вадим: Хорошó, мы все вас ждём в семь часóв вéчера.

Питер: А кто все?

Вадим: Я, мáма и Людмила. Вы пóмните Людмилу?

Питер: Ну, конéчно, пóмню! Я óчень рад! Слýшайте,
         Вадим Борисович, мне нужны рýсские дéньги.
         У меня нет дéнег... Аллó! Аллó! Что это?
         Телефóн не рабóтает ...

The part of Peter is played by Brian Savin, who learned Russian at evening classes. Brian's pronunciation is good for a learner, although he does have a slight English accent. (ed.)

🔊 67 **The same day in the evening. The phone rings again**

Вадим: Я слýшаю.

Ивáн: Людмилу Григóрьевну, пожáлуйста.

Вадим: Кто говорит?

Ивáн: Ивáн Козлóв.

Вадим: Ах, вот как! Сейчáс... Люда, вас спрáшивают!

Lyudmila comes to the phone

68

Людми́ла:	Алло́! Я слу́шаю. До́брый ве́чер.
Ива́н:	Людми́ла! Говори́т Ива́н. Как у вас дела́?
Людми́ла:	Ничего́, спаси́бо. А у вас?
Ива́н:	Людми́ла, я приглаша́ю вас на о́перу в Большо́й теа́тр.
Людми́ла:	Когда́?
Ива́н:	Сего́дня ве́чером.
Людми́ла:	Сего́дня я не могу́.
Ива́н:	Тогда́ за́втра в семь часо́в. Вы свобо́дны за́втра?
Людми́ла:	За́втра? Пока́, да. Но прие́хал Пи́тер из Ло́ндона, и я не зна́ю, каки́е у него́ пла́ны. А биле́ты уже́ есть?
Ива́н:	Нет, биле́тов нет, но мо́жно заказа́ть в гости́нице.
Людми́ла:	Тогда́ закажи́те, пожа́луйста. А где мы встре́тимся?
Ива́н:	Встре́тимся в гости́нице в шесть часо́в. Хорошо́?
Людми́ла:	Хорошо́. До за́втра.

Кото́рый час?	What's the time?
у́тро	morning
До́брое у́тро!	Good morning!
по́мнить	to remember
прие́хать (perf.)	to arrive
ве́чер	evening
ве́чером	in the evening
ма́ло	little, not much
ноль (m.)	zero
Приезжа́йте!	Come! (by transport)
к нам	to our place
совсе́м	quite
звони́ть	to call
записа́ть (perf.)	to write down
отли́чно	excellent
все	everybody
мне нужны́	I need
де́ньги (pl.)	money
Вот как!	So that's the way it is!
До́брый ве́чер!	Good evening!
де́ло	a business
Как дела́?	How are things?
ничего́	alright (the "г" is pronounced "v")
мочь	to be able to
пока́	for now, for the moment; while
у него́	he has (the "г" is pronounced "v")
мы встре́тимся	we will meet

Телефо́н

Mobile phones (моби́льные телефо́ны or со́товые телефо́ны) are used throughout Russia. Phone booths (таксофо́ны) take cards or tokens which you can usually buy from a Post Office.

Russians can be abrupt on the phone and this can make things difficult, even for confident speakers of the language.

When the phone is answered you are often not told who is speaking. You will just hear Алло́! or Да!

 www

When Russians read out a phone number they usually combine numbers into groups. For a Moscow number this might be:
495 830 16 72
Четы́реста девяно́сто пять. Восемьсо́т три́дцать. Шестна́дцать. Се́мьдесят два.
It may be easier for you to read out single numbers only.
Четы́ре, де́вять, пять. Восемь, три, ноль. Оди́н, шесть. Семь, два.

ГРАММА́ТИКА

The nominative plural of nouns

Masculine nouns that end in a consonant add -ы or -и to the end of the word, depending on the spelling rule below.
Masculine nouns that end in -й or -ь replace this with -и.
Feminine nouns replace -а with -ы or -и, -я or -ь with -и and -ия with -ии.
Neuter nouns change -о to -а, -е to -я, -ие to -ия and -мя to -мена́.
There are often stress changes.

 www

Singular	Plural	Singular	Plural
план	пла́ны	трамва́й	трамва́и
у́лица	у́лицы	де́ло	дела́
кни́га	кни́ги	мо́ре	моря́
река́	ре́ки	зда́ние	зда́ния
рубль	рубли́	и́мя	имена́

Certain masculine nouns lose a "fleeting" -о- or -е-

оте́ц	отцы́	переу́лок	переу́лки

Several masculine nouns use a stressed -а́

па́спорт	паспорта́	дом	дома́
го́род	города́	а́дрес	адреса́

> **Spelling rule**
> ы cannot follow г, ж, к, х, ч, ш, or щ. It is replaced by и.
> This is why the nominative plural of кни́га is кни́ги.

The accusative plural of masculine and feminine inanimate nouns and of all neuter nouns is the same as the nominative plural.

Я зна́ю ва́ши пла́ны.   I know your plans.

де́ньги - money
Several words, including де́ньги - "money", exist in the plural only.

The plural of adjectives
Adjectives end in -ые or -ие in the nominative and (inanimate) accusative plural:

каки́е пла́ны?	what plans?	больши́е авто́бусы	large buses
но́вые кни́ги	new books	краси́вые города́	beautiful towns
		ру́сские имена́	Russian names

The genitive plural of masculine nouns
Most masculine nouns that end in a consonant add -ов.

биле́т	нет биле́тов
авто́бус	мно́го авто́бусов
час	пять часо́в

> Other masculine forms and feminine and neuter forms are in lesson 10 and in the grammar review.

The genitive plural is used after words like мно́го - "many", after нет with nouns in the plural, to translate "of" with nouns in the plural, after certain prepositions with nouns in the plural, and after numbers five and above.

мно́го домо́в	гру́ппа тури́стов	девятна́дцать студе́нтов
нет пла́нов	пять часо́в	два́дцать шесть киломе́тров
далеко́ от городо́в		

Вас спра́шивают.   Someone is asking for you.
The third person plural without они́ is used to mean "someone".

Вас приглаша́ют на конце́рт.   You are invited to a concert.

The short adjective ну́жен - "necessary"
In the masculine this has a fleeting -e- which it loses in the other genders. Also there are stress changes.

Он не ну́жен.	He isn't needed.
Деклара́ция не нужна́.	The declaration isn't necessary.
Такси́ ну́жно?	Do you need a taxi?

Short adjectives in the plural
These add -ы to the stem (or sometimes -и, see spelling rule 1 page 151.)

| Мне нужны́ ру́сские де́ньги. | I need some Russian money. |
| Ба́нки бы́ли закры́ты. | The banks were shut. |

мочь - "to be able to". Note the changes of stem between -г and -ж
я могу́, ты мо́жешь, он / она́ мо́жет, мы мо́жем, вы мо́жете, они́ мо́гут

Я не зна́ю, каки́е у него́ пла́ны.   I don't know what plans he has.
In lesson 5 you met у меня́ - "I have" and у вас - "you have". Similarly:

| у него́ | - | he has | у неё | - | she has |
| у них | - | they have |

1. Да и́ли нет?

а. Вади́м по́мнит Пи́тера.

б. У Пи́тера мно́го вре́мени.

в. Вади́м рад, что Пи́тер в гости́нице "Марс".

г. Пи́тер по́мнит Людми́лу.

д. Ива́н приглаша́ет Людми́лу на о́перу.

е. У Ива́на есть биле́ты.

ж. У Людми́лы есть биле́ты.

з. Биле́ты мо́жно заказа́ть в гости́нице.

и. Людми́ла зна́ет, каки́е пла́ны у Пи́тера.

2. Fill in the gaps in the phone conversation

– Алло́

– Кто _____?

– Это Пи́тер. Вы меня́ _____?

– Коне́чно, _____. Как _____?

– _____, спаси́бо.

Пи́тер, каки́е у вас _____ на сего́дня?

– У меня́ нет _____.

– Приезжа́йте _____!

– С удово́льствием. А _____?

– Приезжа́йте в во́семь _____.

– _____ хорошо́!

по́мню
Очень
дела́
говори́т
Хорошо́
пла́ны
пла́нов
по́мните
когда́
к нам
часо́в

3. Rewrite these sentences in the plural

а. Тури́ст чита́ет журна́л.

б. Тури́стка чита́ет кни́гу.

в. Инжене́р был здесь.

г. Но́вый студе́нт то́же был здесь.

д. Магази́н откры́т.

е. Это но́вый телеви́зор?

ж. Англи́йский бизнесме́н не говори́т по-ру́сски.

з. Но́вый дом.

и. Интере́сное де́ло.

4. Rewrite these sentences in the singular

а. Кинокри́тики обе́дают.

б. Это ру́сские города́.

в. Рестора́ны откры́ты.

г. Это хоро́шие биле́ты.

д. Ва́ши кни́ги.

е. Мои́ сувени́ры.

ж. Америка́нские паспорта́.

з. Моско́вские у́лицы..

5. Fill in the gaps. Change the endings as necessary

В Москве́ мно́го _____, _____, _____, и _____.

В Москве́ ма́ло _____.

авто́бусы - теа́тры - кана́лы - па́рки - тури́сты

1. Peter is a teacher of Russian literature and wants to visit the graves of several well known Russian authors while he is in Moscow.
They are: Anton Chekhov, Sergei Esenin, Nikolai Gogol', Vladimir Mayakovsky, Bulat Okudzhava and Nikolai Ostrovsky.

Here is a list of where literary figures are buried in Moscow. Make a note of which cemetery he will find each of the graves in.

Никола́й Васи́льевич Го́голь

КЛАДБИЩА, ГДЕ ПОХОРОНЕНЫ ЛИТЕРАТОРЫ

Армянское кладбище. ул. Сергея Макеева, 12.
Здесь похоронен А.П.Платонов.

Ваганьковское кладбище. ул. Сергея Макеева, 15.
Похоронены: А.К.Виноградов, В.С.Высоцкий, С.А.Есенин, В.И.Даль, А.С.Неверов, Б.Ш.Окуджава, Ю.Н.Тынянов, Ф.С.Шкулев.

Введенское кладбище. Наличная ул.,1.
Похоронены: Д.Б.Кедрин, С.Г.Скиталец, Л.Н.Сейфуллина.

Донской монастырь. Донская площадь,1.
На кладбище монастыря похоронены: И.И.Дмитриев, И.М.Долгорукий, В.И.Майков, В.Ф.Одоевский, А.П.Сумароков, М.М.Херасков, П.Я.Чаадаев.

Новодевичье кладбище. ул. Хамовнический Вал, 50.
Похоронены: С.Т.Аксаков, Э.Г.Багрицкий, Демьян Бедный, Андрей Белый, В.Я.Брюсов, М.А.Булгаков, В.В.Вересаев, Н.В.Гоголь, Д.В.Давыдов, И.А.Ильф, С.Я.Маршак, В.В.Маяковский, А.Н.Островский, А.Т.Твардовский, А.Н.Толстой, А.А.Фадеев, Д.А.Фурманов, А.П.Чехов, В.М.Шукшин, И.Г.Эренбург.

кла́дбище	a cemetery
кла́дбища	cemeteries
похоро́нен	is buried
похоро́нены	are buried
литера́тор	literary figure

For an exercise on Russian names linked to this page, please go to:
www.ruslan.co.uk/ruslan1.htm

www

2. What is on sale at the Маркон trading hall, and where do the goods come from?

МАРКОН
Торговый зал
в Москве
ул. Стромынка, 2.
ст. метро
"Сокольники"

ТЕЛЕВИЗОРЫ, КАМКОРДЕРЫ,
МЕДИА-ПЛЕЕРЫ, КОМПЬЮТЕРЫ,
НОУТБУКИ, ЛЭПТОПЫ, ПРИНТЕРЫ,
НАВИГАТОРЫ, СМАРТФОНЫ,
ВЕБ-КАМЕРЫ, МИКРОФОНЫ.

ИЗ ЯПОНИИ, ИЗ КИТАЯ, ИЗ КОРЕИ

Тел.: (8) 495 869-02-96

СЛУШАЙТЕ!

 69

Ivan is trying to book theatre tickets:
1. Which theatre is he trying to get the tickets for?
2. When does he want to go to the theatre?
3. He was offered two possibilities, the ballet "Щелку́нчик" (The Nutcracker) and the opera «Снегу́рочка». Which did he choose and why?
4. What time does the evening performance start?

ГОВОРИТЕ!

1. **Role-play. You have just arrived in Moscow and you telephone a friend.**

Say "hello".	Ask who is there.
Say who you are and where you are from. Ask if he / she remembers you.	Yes, of course you remember him / her. Ask if he / she has any plans.
Say you have no plans.	Ask where he / she is.
In the hotel "Sputnik".	Ask for the phone number.
212 45 26.	Ask if he / she can come this evening. Suggest at 6 o'clock.
Say yes, very good. Ask at what time you should come.	
Say that's excellent.	End the conversation.

Россия - карта часовых поясов. Russia - a map of the time zones

> There are eight time zones in Russia, plus Kaliningrad.
> Long distance rail and air timetables use Moscow time.

2.   Pair work. Ask each other questions.

– В Москве два часа. Который час в Новосибирске?
– В Новосибирске пять часов.
– В Братске шесть часов. Который час в Москве?
– В Москве час.

First use the map, then try to remember without it.

3.   Language game for a group.

Each learner is in a different town. Decide who is where. Practise
the pronunciation of the town names.

> Архангельск - Братск - Верхоянск - Волгоград
> Владивосток - Екатеринбург - Иркутск - Калининград
> Магадан - Москва - Мурманск - Новосибирск - Омск
> Самара - Санкт-Петербург - Томск - Якутск

Then one person says what time it is in his or her town and
others have to say what time it is in theirs.

Питер	– Я в Томске. Сейчас три часа.
Анна	– А я в Екатеринбурге. Здесь два часа.
Мария	– Я в Магадане. Здесь восемь часов.
и т.д.	

4.   Телефонные разговоры. Phone conversations

Make imaginary phone calls to different people in the group. Ask them
how they are (Как дела?). Ask them where they are, what they are
doing and what time it is.

70

У Игоря нет денег

Сейчас уже восемь часов вечера. В Новосибирске все банки закрыты, а у Игоря нет денег. В городе много банкоматов. Игорь знает, что на улице Сибирская есть банкомат. Он идёт туда. Всё будет нормально, если кредитная карточка работает.

В одиннадцать часов Игорь в номере. Он устал, но теперь деньги есть. Вдруг звонит его сотовый телефон. Это его бывшая жена, Людмила. Какой сюрприз!

Людмила забыла, что в Новосибирске уже одиннадцать часов. В Москве сейчас только восемь. Людмила спрашивает о работе Игоря и о его командировке. Она спрашивает о Нелли и Николае. Потом она говорит, что старый друг Игоря, Иван Козлов, сейчас работает в Москве. Она говорит, что Иван уже миллионер.

— Нет, — говорит Игорь. — Не может быть. У него нет денег.
— Да-да! Миллионер. И он даже был в США.
— Ну, привет ему от меня! А почему ты так
  поздно звонишь? Забыла, что я в Сибири?
— Да, забыла. Извини.
— Ну, ладно. Спокойной ночи!

банкомат	-	cash machine	бывший	-	former
туда	-	there (motion)	спрашивать	-	to ask
будет	-	will be	старый	-	old
нормально	-	alright	прав	-	right
если	-	if	у него	-	he has
кредитная карточка			даже	-	even
	-	credit card	привет	-	greeting
устал	-	tired	ему	-	for him
вдруг	-	suddenly	ладно	-	fine, alright
звонить	-	to ring	Спокойной ночи!		
его	-	his		-	Good night!
сотовый телефон	-	mobile phone			

Вопросы к тексту

а. Почему банки в Новосибирске закрыты?
б. Какая проблема у Игоря?
в. Где банкомат?
г. Где Игорь, когда Людмила звонит?
д. Сколько времени в Новосибирске, когда она звонит?
е. А сколько времени в Москве?
ж. О ком она спрашивает?
з. Что она говорит об Иване Козлове?
и. Игорь думает, что это правда?

о ком? - about whom?

Перево́д

- Good morning. This is Vassily speaking. Do you remember me?
- Of course I remember you. How are you?
- Well, thank you.
- But where are you now?
- I'm calling from the hotel "Astoria" in St. Petersburg. I arrived this evening.
- I'm glad. That is quite close. What plans do you have?
- I'm free tomorrow and also on Thursday.
- Good. You're invited to a concert at 8 o'clock tomorrow. We'll meet at seven at the hotel. On Thursday I am working, but Maria is free.
- Excellent! Give me Maria's phone number, please.
- Sorry. I can't. I don't have her (её) number.
- Alright. Perhaps I have it. Till tomorrow.

- What interesting books!
- Yes, I love to read.
- Do you have time to read? You have a lot of work.
- Yes, I read in the evening. I don't watch television.
- I want to invite you to the cinema tomorrow.
- Excellent! But there are no tickets for tomorrow. Maybe on Saturday?

ЧИТА́ЙТЕ И ГОВОРИ́ТЕ!

Стати́стика о Новосиби́рске

Зоопа́рк – 1	Бассе́йны - 12
Цирк – 1	Теа́тры – 17
Аэропо́рты - 2	Кинотеа́тры – 29
Вокза́лы - 5	Ба́нки, рестора́ны, авто́бусы –
Музе́и - 8	о́чень мно́го!
Стадио́ны - 9	
Университе́ты – 10	

(Стати́стика на 2012г.)

Рабо́та в гру́ппе

The first learner says, for example:

- В Новосиби́рске де́сять университе́тов.

The second says:

- В Новосиби́рске де́сять университе́тов и семна́дцать теа́тров.

и т.д.

Ivan and Lyudmila are at the opera. Lyudmila doesn't like the seats, but she does enjoy the performance.

In the interval Lyudmila telephones Zoya Petrovna to find out what Peter is doing. Then Ivan invites her to the Botanical Gardens.

You will learn to:
- ❏ talk about your likes and dislikes
- ❏ talk about which sports you play or used to play
- ❏ understand a theatre programme.

The grammar includes:
- ❏ reflexive verbs in the present tense, for example начина́ться - "to begin"
- ❏ the dative singular of nouns
- ❏ the difference between the transitive verb люби́ть - "to love" and the intransitive verb нра́виться - "to please", which is used to convey "to like"
- ❏ the verb ви́деть - "to see"
- ❏ the verb игра́ть with в and the accusative case - "to play" a sport
- ❏ the use of раз - "a time".

There is information about the tale of «Снегу́рочка». In the reading section Igor and Nelly go to the theatre and there is a song for learners: «Конце́рт».

The Ruslan 1 workbook contains 17 additional exercises for this lesson, including 3 listening exercises.
The Ruslan 1 CDRom contains 30 additional exercises with sound.

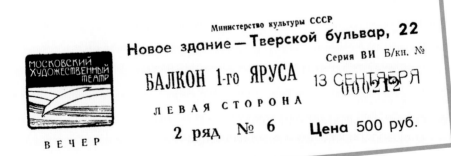

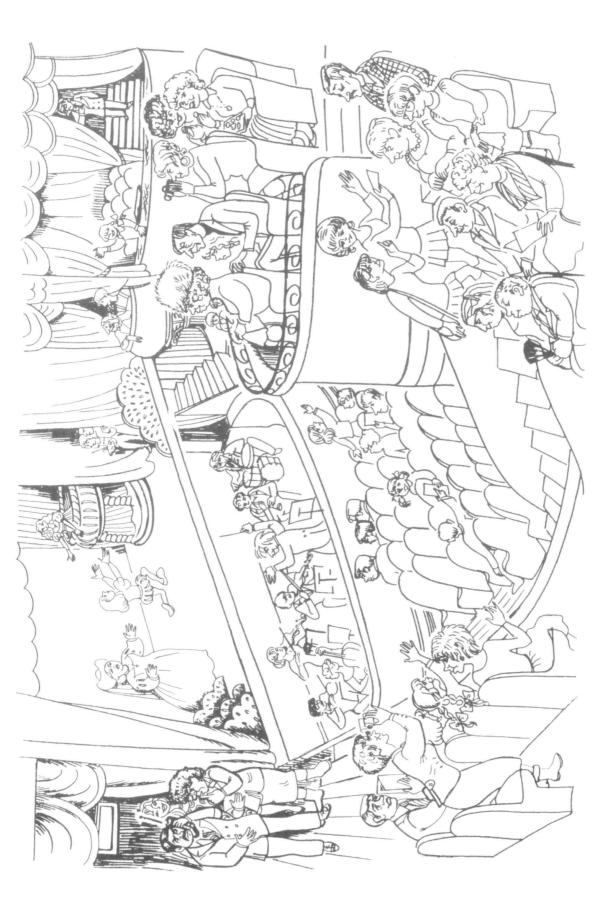

73 **В теа́тре**

Людми́ла:	Скоре́е! Опера уже́ начина́ется. Где на́ши места́?
Ива́н:	На балко́не.
Людми́ла:	На балко́не? Каки́е плохи́е места́!
Ива́н:	Ну, что тепе́рь де́лать!?

74 **В антра́кте**

Ива́н:	Вам нра́вится о́пера?
Людми́ла:	Да, о́чень нра́вится. А кто игра́ет роль Снегу́рочки? Мо́жно посмотре́ть програ́ммку?
Ива́н:	Вот, пожа́луйста. А вы не хоти́те в буфе́т?
Людми́ла:	Да, хочу́. Пойдёмте?

75 **В буфе́те**

Ива́н:	Так вы уже́ ви́дели «Снегу́рочку» ра́ньше?
Людми́ла:	Коне́чно, два и́ли три ра́за.
Ива́н:	Что вы хоти́те? Чай, ко́фе? Мо́жет быть, хоти́те вино́?
Людми́ла:	Да, я хочу́ кра́сное вино́.
Ива́н:	Да́йте, пожа́луйста, мне чай, а де́вушке вино́.
Людми́ла:	Ива́н, здесь есть телефо́н?
Ива́н:	Не зна́ю. А кому́ вы хоти́те позвони́ть? Вади́му?
Людми́ла:	Нет. Мне на́до позвони́ть Зо́е Петро́вне.
Ива́н:	Хорошо́. Я ду́маю, что телефо́н нале́во по коридо́ру. То́лько скоре́е. Второ́й акт начина́ется.

76 **Людми́ла звони́т по телефо́ну**

Людми́ла:	Зо́я Петро́вна? Это Людми́ла. Да, я сейча́с в теа́тре. Да, мне о́чень нра́вится. Прекра́сная о́пера. И Ната́лья Ивано́ва прекра́сно игра́ет роль Снегу́рочки. Когда́ конча́ется? По́здно. Ду́маю, в де́сять часо́в. Не на́до ждать. А когда́ Пи́тер возвраща́ется? Он уже́ там? Что он де́лает? Игра́ет в ша́хматы? Молоде́ц! Скажи́те Вади́му, что за́втра я иду́ к врачу́. Хорошо́. Спаси́бо, до свида́ния.

77 **Второ́й акт начина́ется**

Ива́н:	Ну как? Всё в поря́дке?
Людми́ла:	Да. Всё в поря́дке. Спаси́бо.
Ива́н:	Людми́ла, за́втра вы свобо́дны? Я приглаша́ю вас в Ботани́ческий сад. Там о́чень романти́чно...
Людми́ла:	Нет, спаси́бо. Я иду́ к подру́ге на день рожде́ния. Пойдёмте! Второ́й акт начина́ется...

Скоре́е!	Hurry up!	второ́й	second
начина́ться	to begin	акт	act
наш	our	конча́ться	to finish
ме́сто	seat	возвраща́ться	to return
места́	seats	ша́хматы	chess
балко́н	balcony	Молоде́ц!	Good lad! / Well done!
плохо́й	bad		
антра́кт	interval	к (+ dat.)	to / towards
нра́виться	to please	врач	doctor
игра́ть	to play	поря́док	order
роль (f.)	role	всё в поря́дке	everything is OK (in order)
програ́ммка	theatre programme		
ви́деть	to see	ботани́ческий	botanical
ра́ньше	before	сад	garden
раз	time, occasion	романти́чно	romantic
на́до	it is necessary	подру́га	girl friend
позвони́ть (perf.)	to telephone	день рожде́ния	birthday
по (+ dat.)	along		
коридо́р	corridor		

Молоде́ц! can be used for males or females.

ИНФОРМАЦИЯ

Опера «Снегу́рочка»

From the word снег - "snow", Снегу́рочка is a character from an old Russian fairy tale. A childless couple make a girl out of snow and adopt her. She is a charming girl, loved by everyone. When the summer comes she goes for a walk with her friends in the forest and melts away in the heat of the sun. The Russian writer A. Ostrovsky used the folk tale for his play of the same name, and it was later used by Rimsky-Korsakov for his opera. At the New Year, Снегу́рочка and her grandfather, Дед Моро́з - Grandfather Frost - visit Russian children with presents.

Снег и моро́з

возвраща́ться - "to return"
Reflexive verbs have the ending -ся or -сь after a vowel.

я возвраща́юсь	I return / I am returning
ты возвраща́ешься	you return (familiar)
он / она́ возвраща́ется	he / she returns
мы возвраща́емся	we return
вы возвраща́етесь	you return (polite or plural)
они́ возвраща́ются	they return

The verbs начина́ться - "to begin" and конча́ться - "to finish" - are only used in the third person.

Второ́й акт начина́ется.   The second act is starting.

The dative case is used to express the indirect object, for example:

Я хочу́ позвони́ть Пи́теру.	I want to telephone (to) Peter.
Да́йте мне биле́т.	Give (to) me the ticket.

Masculine and neuter singular nouns have the endings -у or -ю.
Feminine singular nouns change -а or -я to -е, -ия to -ии or -ь to -и.
The dative of кто is кому́, of я is мне and of вы is вам.
The dative of он is ему́, of она́ is ей and of они́ is им.

The dative is used after the prepositions по - "along" or "around" and к - "towards" or "to the place of":

Он идёт по коридо́ру.	He is walking along the corridor.
Я гуля́ю по Москве́	I am walking around Moscow.
Она́ идёт к подру́ге.	She is going to her girl friend's.

The dative is used in certain impersonal expressions

Мне на́до рабо́тать.	I need to work. (For me it is necessary to work)
Ему́ нужны́ де́ньги.	He needs money.
Ей пло́хо.	She is not well.

люби́ть / нра́виться
люби́ть is a transitive verb meaning "to love" or "to like very much" in general terms. It is followed by a direct object in the accusative.

Я люблю́ теа́тр.	I love the theatre.
Он лю́бит Ната́шу.	He loves Natasha.

нра́виться is used intransitively for "to like" or "to be pleased by" something specific. What is liked is subject. The person who likes is in the dative.

Мне нра́вится э́та пье́са.	I like that play. (That play is pleasing to me)
Она́ вам нра́вится?	Do you like her?

ви́деть - to see
я ви́жу, ты ви́дишь, он / она́ ви́дит, мы ви́дим, вы ви́дите, они́ ви́дят
Note the mutation in the first person singular from -д to -ж.

игра́ть в ша́хматы - to play chess
With sports and games, игра́ть is used with в and the accusative case.

раз - a time

оди́н раз	-	once
не оди́н раз	-	more than once
три ра́за	-	three times
пять раз	-	five times
мно́го раз	-	many times

Ско́лько раз? - How many times?

> When counting, start with раз:
> раз, два, три, четы́ре, пять ...

УПРАЖНЕНИЯ   УРОК 9

1.   Да и́ли нет?

а. Людми́ла ду́мает, что места́ хоро́шие.   д. Опера конча́ется по́здно.
б. Людми́ле на́до позвони́ть в Ло́ндон.   е. Пи́тер игра́ет в ша́хматы.
в. Телефо́н нале́во по коридо́ру.
г. Ива́н приглаша́ет Людми́лу на конце́рт.

2.   Fill in the gaps to complete the dialogue

– Зо́я Петро́вна? _____ ве́чер!
– До́брый _____! Вы в _____?
– Да, я в теа́тре.
– И как _____ нра́вится о́пера?
– Мне о́чень _____. Прекра́сная о́пера!
– А когда́ _____ конча́ется?
– Она́ _____ по́здно.
    Не _____ меня́_____.

она́
ве́чер
До́брый
ждать
конча́ется
вам
нра́вится
теа́тре
на́до

3.   Fill in the gaps, choosing the correct alternative according to the story and adding the dative endings

Людми́ла говори́т _____, что за́втра
она́ идёт к _____, но она́ говори́т
_____, что она́ идёт к _____ .

врач
Ива́н
Зо́я Петро́вна
подру́га

4.   Во что они́ игра́ют?
What do they play?

Андре́й Арша́вин
Па́вел Буре́
Га́рри Каспа́ров
Мари́я Шара́пова
Андре́й Шевче́нко
Михаи́л Южный

Па́вел Буре́

Отве́т: Влади́мир Пу́тин игра́ет
в насто́льный те́ннис.

5.   А кто игра́ет в насто́льный те́ннис?

ДЕТСКИЙ ТЕАТР
26 июня 2012г. в 14.00
КОТ В САПОГАХ
Пьеса-сказка в 2 частях
Перевод Л. Гинзбурга
Действующие лица:

Кот	В. Иванов
Стефан	С. Маковецкий
Король	М. Шапиро
Принцесса	Л. Корнева
Солдат	И. Лагутин
Волшебник	В. Русланов
Крестьянин	А. Котрелев
Его жена	А. Козлова
Дуб	Д. Воронин
Берёза	А. Потапова
Ведьма	Д. Пешкова
Музыка	Е. Фёдоров
Танцы	Н. Иванова

1. What was on at the children's theatre, what date and time?
2. What parts were the following actors playing:
    Igor Lagutin, Larissa Kornyeva, Victor Ivanov?
3. Looking at the names, you can tell for sure whether they are male
    or female actors except for one. Which?
4. Write sentences based on the advertisement. An example has
    been done for you.

Note the two alternative ways of writing the letter "т" - *m/т*
(Below we have used the second).

И. Лагутин играет роль солдата.

_____

_____

_____

_____

For an exercise on Russian names linked to this page, please go to:
www.ruslan.co.uk/ruslan1.htm

Спектáкли

1. Where are these ballets taking place?
2. Which of the ballets is about a French emperor?
3. Which orchestra is playing?

Демонстрáция

1. When and where was this demonstration taking place?
2. What was it called to say "no" to?
3. Did she support Boris or not?

СЛУШАЙТЕ!

Lyudmila is talking to her friend Tamara

1. When did Lyudmila go to see Tamara?
2. Does Tamara know that Ivan is rich?
3. Has Tamara ever seen "Snegurochka"?
4. Is Lyudmila eager to introduce Ivan to Tamara?

1.   Role-play for pair work

Invite your partner to the Vakhtangov theatre. Театр Вахтáнгова	Ask what is on.
The Chekhov play "Uncle Vanya". «Дя́дя Ва́ня»	Say yes, with pleasure, but when?
Tomorrow evening.	At what time?
At seven o'clock.	Very good.
Where shall we meet?	At the theatre.

2.   Когда́ вы возвраща́етесь? - When are you returning?
A language game to practise reflexive verbs.

Imagine that the people in your group are going out for the day, coming back at different times. Each decide when you are coming back. One person then starts:

– Я возвраща́юсь в де́сять часо́в

The next person repeats this in the third person and adds his or her own time:

– Пи́тер возвраща́ется в де́сять часо́в, а я возвраща́юсь в де́вять часо́в.

And so on until you have been round the circle.

Then have random conversations, trying to remember when others are returning.

3.   A language game using the dative case

You need a collection of real items or pictures:

па́спорт - кни́га - вино́ - во́дка - лимона́д билéт - су́мка - де́ньги - газéта - сувени́р

and a list of professions:

журнали́ст - кинокри́тик - студéнт - бизнесмéн тракторúст - программи́ст - врач - инженéр - солда́т

Each learner chooses a profession. Remember who chooses which. Then give instructions such as:

– Да́йте па́спорт журнали́сту!
– Да́йте су́мку студéнтке!

When you give the instruction one learner has to hand out the objects to the correct people. Then play the game again, with learners giving the instructions.

4. Вы игра́ете в те́ннис?

Find out what games or sports people play. Find out whether any people in the group play the same sports as you.

– Вы игра́ете в те́ннис?	– Нет.
– Вы игра́ете в футбо́л?	– Нет.
– Вы игра́ете в ша́хматы?	– Да.
– Я то́же игра́ю в ша́хматы.	– Хорошо́!
– Вы пла́ваете?	– Нет.

You can also talk about what sports you played in the past:
– Вы игра́ли в те́ннис?

Ви́ды спо́рта
бадминто́н
баскетбо́л
бейсбо́л
волейбо́л
гольф
дартс
насто́льный те́ннис
те́ннис
футбо́л
хокке́й
ша́хматы

to swim	пла́вать
to run	бе́гать

Влади́мир Влади́мирович игра́ет в футбо́л?

5. Pair work - разгово́р по телефо́ну

Act out the telephone conversation between Lyudmila in the theatre and Zoya Petrovna, page 122, making up your own version of the part of Zoya Petrovna. First use the text in the book, then repeat the exercise from memory.

79

В теа́тре

Игорь и Не́лли в теа́тре о́перы и бале́та. Там идёт бале́т «Анна Каре́нина». Игорь покупа́ет програ́ммку, и они́ иду́т в ло́жу. Места́ хоро́шие, и бале́т отли́чный. В антра́кте они́ иду́т в буфе́т. Игорь зака́зывает бе́лое вино́ и шампа́нское. Не́лли на́до позвони́ть му́жу, потому́ что бале́т по́здно конча́ется. Она́ говори́т Никола́ю, что её не на́до ждать. Начина́ется второ́й акт. Не́лли о́чень нра́вится э́тот бале́т. Она́ смотре́ла его́ уже́ три ра́за. В де́сять часо́в бале́т конча́ется.

Игорь приглаша́ет Не́лли в рестора́н, но она́ не мо́жет пойти́, потому́ что за́втра ей на́до быть ра́но на рабо́те. Уже́ по́здно. Не́лли е́дет домо́й на такси́, а Игорь идёт в гости́ницу пешко́м.

В но́мере звони́т моби́льник. Там СМС от Людми́лы: «Извини́, что я вчера́ так по́здно звони́ла».

— Ну, ла́дно, — улыба́ется Игорь. А почему́ она́ так по́здно посыла́ет СМС?!

о́пера	-	opera
бале́т	-	ballet
отли́чный	-	excellent
покупа́ть	-	to buy
ло́жа	-	box (at the theatre)
спекта́кль (m.)	-	show
ра́но	-	early
по́сле (+ gen.)	-	after
пешко́м	-	by foot
СМС	-	text message
улыба́ться	-	to smile
посыла́ть	-	to send

Вопро́сы к те́ксту

а. Где Игорь и Не́лли?

б. Что они́ смо́трят?

в. Каки́е у них места́?

г. Что они́ де́лают в антра́кте?

д. Почему́ Не́лли звони́т му́жу?

е. Ско́лько раз Не́лли смотре́ла бале́т «Анна Каре́нина»?

ж. Когда́ бале́т конча́ется?

з. Почему́ Не́лли не мо́жет пойти́ в рестора́н?

и. Как они́ возвраща́ются домо́й по́сле бале́та?

Перево́д

- I am glad to see you! What is the film today?
- "Doctor Zhivago".
- Excellent! Boris Pasternak. He is an excellent writer! (писа́тель)
  He understood the Soviet Union (Сове́тский Сою́з) very well.
  Where are our seats?
- On the balcony.
- Who is playing the part of Lara?
- Julie Christie. I like this film very much. I've seen it six times!
- Do you know what time the film ends? I need to call Elena.
- It finishes at ten o'clock. But hurry up, the film is beginning!

ПЕСНЯ   SONG

Концерт

To the tune of "Moscow Nights" 80
Words - John Langran
The original Russian song is at
www.ruslan.co.uk/ruslan1.htm

В пять часо́в конце́рт начина́ется.
Я хочу́ послу́шать кларне́т!
То́лько пять мину́т, мы не мо́жем ждать.   } x 2
Ах, скажи́, Ва́ня, где биле́т?

Здесь игра́ют вальс Шостако́вича.
Слы́шны тру́бы, скри́пки, тромбо́н.
Как вам нра́вится э́та му́зыка?   } x 2
Да́же есть там аккордео́н.

А в антра́кте пьём мы шампа́нское.
Я хочу́ програ́ммку купи́ть.
Там напи́сано, кто наш дирижёр,   } x 2
Да и кто молодо́й соли́ст!

В семь часо́в конце́рт уж конча́ется.
Нам пора́ пое́хать домо́й.
А я так люблю́ э́ту му́зыку.   } x 2
Ско́ро бу́дет конце́рт друго́й!

вальс	-	waltz
слышны́	-	can be heard (pl.)
да́же	-	even
вме́сте	-	together
купи́ть	-	to buy
напи́сано	-	is written
дирижёр	-	conductor
молодо́й	-	young
соли́ст	-	soloist
уж / уже́	-	already
друго́й	-	another

Lyudmila has a meal with her friend Tamara and tells her about her trip to England. Tamara is interested in Lyudmila's male friends and would like to meet them. Lyudmila gets back to Zoya Petrovna's flat very late.

You will learn to:
- ❑ describe houses and flats in Russian
- ❑ talk about playing musical instruments
- ❑ understand a Russian TV guide.

The grammar includes:
- ❑ the instrumental singular of nouns
- ❑ the spelling rule that affects the unstressed letter "o"
- ❑ the genitive plural of feminine nouns and of nouns that end in a soft sign
- ❑ the genitive plural of masculine nouns ending in -ж, -ч, -ш or -щ
- ❑ the declension of personal pronouns
- ❑ masculine nouns with the prepositional singular ending -ý or -ю́
- ❑ the verb игра́ть with на and the prepositional case - "to play" an instrument
- ❑ the verbs спать - "to sleep", петь - "to sing", and пить - "to drink".

The information section is about housing in Russia. The reading passage is about Igor's visit to Nikolai and Nelly's dacha, and there is an old Russian folk song "The Steppe all around".

The Ruslan 1 workbook contains 23 additional exercises for this lesson, including 5 listening exercises.
The Ruslan 1 CDRom contains 30 additional exercises with sound.

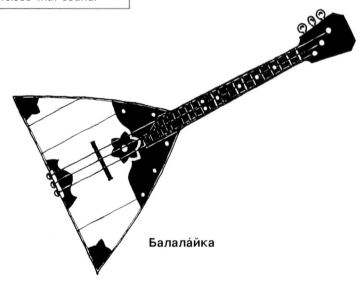

Балала́йка

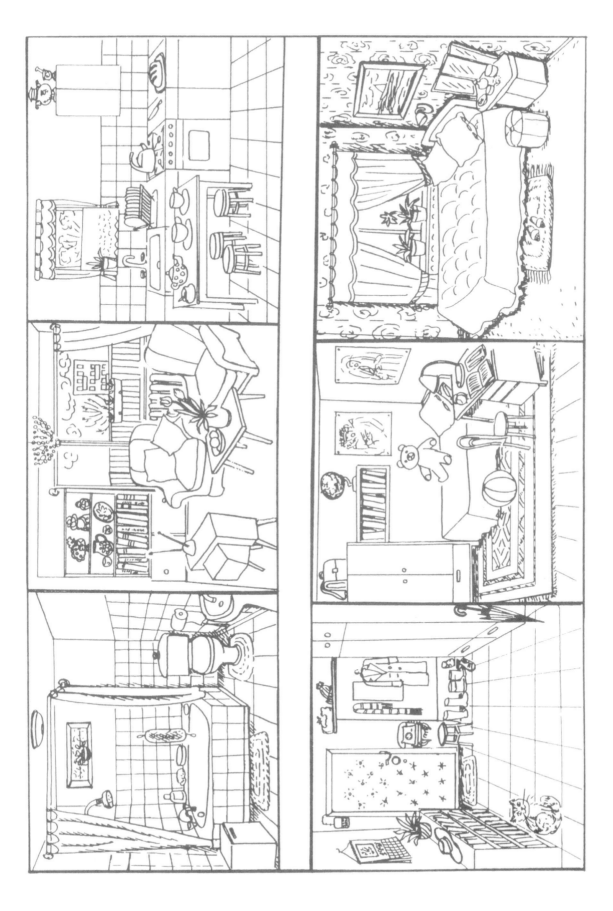

Lyudmila has just finished a meal at the flat of her friend Tamara

(♨) 82

Людмила:	Спасибо за обед. А уже поздно?
Тамара:	Пять часов.
Людмила:	Ну, мне пора.
Тамара:	Нет, давай пить чай. С молоком или с лимоном?
Людмила:	Ладно. С молоком, пожалуйста.

(♨) 83

Тамара: Теперь расскажи о Лондоне. Сколько времени ты жила
         у Питера?
Людмила: Я была там пять дней.
Тамара: А Вадим знает?
Людмила: Конечно, нет. Я ничего не говорила Вадиму.

(♨) 84

Тамара: Питер живёт в квартире?
Людмила: Нет. У него обычный английский дом.
Тамара: Как у тебя в Софрино?
Людмила: Нет, что ты! У него два этажа и все удобства: газ,
         электричество...
Тамара: Два этажа?! И балкон есть? А сколько комнат?
Людмила: Балкона нет, но есть гараж. Внизу – кухня, столовая
         и гостиная, а наверху – три спальни.
Тамара: А туалет, как в Софрино, на улице?
Людмила: У него два туалета – один внизу, другой наверху.
Тамара: А какая у него мебель?
Людмила: Мебель обычная – столы, стулья, книжные полки, много книг.
         Всё, как у меня в Софрино. Мне нравится его гостиная –
         большой удобный диван, два кресла и большой телевизор.

(♨) 85

Тамара: Он часто смотрит телевизор?
Людмила: Нет. Он всё время работает с компьютером.
         Но он любит фильмы о Джеймсе Бонде. Мы смотрели
         фильм «Из России с любовью».
Тамара: Я думаю, что ему надо жениться. Он живёт один?
Людмила: Нет. Он живёт с мамой. Ты знаешь, сад у него очень
         красивый. Питер его очень любит и работает в нём каждый
         день. У него в саду очень много цветов и в огороде много
         овощей.
Тамара: Сад! Это не интересно! Когда мне можно познакомиться
         с Питером?
Людмила: Я не знаю. Он очень занят. Он здесь по делу.
         А ты знаешь, он очень хорошо играет на гитаре и поёт.
Тамара: Хорошая ты подруга! У тебя есть миллионер из Саранска.
         Я его ещё не видела. Ну и, конечно, Вадим... Он о тебе всё
         время говорит... А теперь этот англичанин!
Людмила: Ой, не надо! Мне пора идти!

At Zoya Petrovna's

🎧 86

Зо́я Петро́вна: Людми́ла! Наконе́ц! Где вы бы́ли?
Людми́ла: У подру́ги. Извини́те, что по́здно.
Зо́я Петро́вна: А я сказа́ла Вади́му, что вы у врача́.
Людми́ла: Да, я была́ у врача́ то́же. А где Пи́тер?
Зо́я Петро́вна: Игра́ет в ша́хматы с Вади́мом.
Людми́ла: Ла́дно. Я иду́ спать. Споко́йной но́чи!

> Продолже́ние сле́дует - The story continues in Ruslan 2 and 3.

Спаси́бо за ...	Thank you for ...	сту́лья	chairs
Дава́й(те) ...!	Let's ...!	кни́жный	book (adj.)
пить	to drink	по́лка	shelf
с (+ instr.)	with	удо́бный	comfortable
молоко́	milk	дива́н	sofa
лимо́н	lemon	кре́сло	armchair
ла́дно	fine, all right	любо́вь (f.)	love
ничего́	nothing	жени́ться	to get married
кварти́ра	flat		(for a man)
обы́чный	ordinary, usual	сад	garden
эта́ж	floor, storey	огоро́д	vegetable garden
удо́бство	facility	цвето́к	a flower
газ	gas	цвето́в (gen. pl.)	of flowers
электри́чество	electricity	о́вощ	vegetable
внизу́	downstairs	ка́ждый	every, each
ку́хня	kitchen	познако́миться с (perf.)	
столо́вая	dining room		to meet, get to know
гости́ная	living room	за́нят	busy
наверху́	upstairs	де́ло	business
спа́льня	bedroom	по де́лу	on business
туале́т	toilet	гита́ра	guitar
на у́лице	outside	петь	to sing
друго́й	another	наконе́ц!	at last!
ме́бель (f.)	furniture	сказа́ть (perf.)	to tell
стол	table	спать	to sleep
стул	chair	Споко́йной но́чи!	Good night!

Со́фрино

This is a typical small town about 30 miles north of Moscow, outside the Moscow ring road. It has an interesting icon factory.

жени́ться - to get married

This is used for men and for couples. For women use вы́йти за́муж which literally means "to come out (of the church) after a man"!

Housing in Russia

In towns the majority of people live in large blocks of flats. Typically there are five, nine or twelve floors, and a shared entrance with a lift or lifts. Often there is a courtyard and a safe play area for children behind the block. Central heating and hot water are normally supplied by a local water heating unit. Car parking can be difficult, often people have a garage or a place in a secure parking area some way away from their home.

In recent years some giant apartment blocks with 22 or more floors have been built, with underground parking.

Some Russians own коттéджи which are not "cottages" but large detached houses in new estates on the outskirts of large towns.

In country areas people live in small houses, often made of wood, and with some land attached.

Many town people own a дáча - "summer house" - outside town, which they go to at weekends and for longer periods in the summer holiday. The дáча is usually used for growing fruit and vegetables.

Most dachas have been built on dacha estates which have been acquired in the past by organisations for their workers. The estates normally have electricity and water, either piped or from a well.

Дом в дерéвне

Квартúры в гóроде

Нóвый коттéдж недалекó от Москвы́

For useful links for housing and furniture topics go to:
www.ruslan.co.uk/ruslan1.htm

Двухко́мнатная кварти́ра - a two-room flat

Там есть две ко́мнаты и ещё прихо́жая, ку́хня, ва́нная и туале́т.

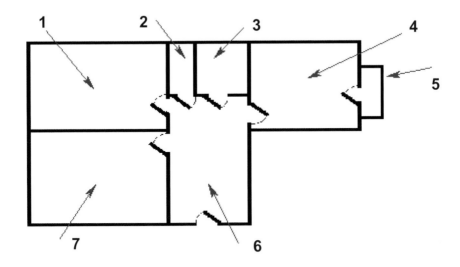

Ключ

1. ку́хня
2. туале́т
3. ва́нная
4. спа́льня
5. балко́н
6. прихо́жая
7. гости́ная / спа́льня №2

ва́нная	-	bathroom
прихо́жая	-	hall
гости́ная	-	living room

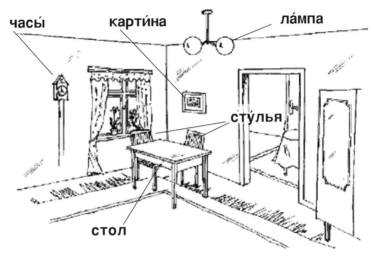

часы́ карти́на ла́мпа сту́лья стол

Спаси́бо за ...   - Thank you for ... is used with the accusative case.
    Спаси́бо за обе́д.   Спаси́бо за кни́гу.

The instrumental singular of nouns
The instrumental is used after с meaning "with".
Masculine and neuter nouns have the hard ending -ом or soft -ем.
Feminine nouns have the hard ending -ой or soft -ей.
Feminine soft sign nouns have the ending -ью.

> See the tables on
> pages 150 and 151.

чай с лимо́ном	-	tea with lemon
Он живёт с ма́мой.		He lives with his mum.
Я игра́ю с Ка́тей.		I am playing with Katya.
из Росси́и с любо́вью	-	from Russia with love

мать - "mother" - changes to ма́терью
дочь - "daughter" - changes to до́черью

> For other uses of the
> instrumental see
> Ruslan 2 and Ruslan 3.

Spelling rule for the unstressed letter о
Unstressed о cannot follow ж, ц, ч, ш or щ. Replace it with е.
    with Natasha   -   с Ната́шей

The genitive plural - more endings
Feminine nouns ending in -а lose this letter in the genitive plural:
    У Пи́тера мно́го книг.   Peter has a lot of books.
    Ско́лько в до́ме ко́мнат?   How many rooms are there in the house?
Masculine and feminine nouns that end in a soft sign have the ending -ей:
    Я была́ там пять дней.   I was there for five days.
    Там мно́го веще́й.   There are a lot of things there.
Masculine nouns ending in -ж, ч, ш or щ also have the ending -ей:
    мно́го ключе́й   -   a lot of keys
    мно́го овоще́й   -   a lot of vegetables.

Irregular plural forms
цвето́к - "a flower" has the nominative plural цветы́ and genitive plural цвето́в.
стул - "a chair" has the nominative plural сту́лья and genitive plural сту́льев.
друг - "a friend" has the nominative plural друзья́ and genitive plural друзе́й.

в саду́ - in the garden
Several masculine nouns have the prepositional singular ending -у́ or -ю́,
which is used after в - "in" and на - "on". This ending is always stressed.
    Пи́тер рабо́тает в саду́.   Peter works / is working in the garden.
    Тури́ст в аэропорту́.   The tourist is in the airport.
    Живём на да́че, как в раю́! We live in our dacha, as in Paradise!

After "о" - "about" (Lesson 7), the same nouns use the prepositional ending -е:
Пи́тер говори́т о са́де.   Peter is talking about his garden.
Она́ ду́мает об аэропо́рте.   She is thinking about the airport.

The declension of personal pronouns

N.	я	ты	он	она́	мы	вы	они́
A.	меня́	тебя́	его́*	её*	нас	вас	их*
G.	меня́	тебя́	его́*	её*	нас	вас	их*
D.	мне	тебе́	ему́*	ей*	нам	вам	им*
I.	мной	тобо́й	им*	ей*	на́ми	ва́ми	и́ми*
P.	мне	тебе́	нём	ней	нас	вас	них

* After prepositions the forms его́, её, их, etc change to него́, неё, них etc.
The prepositional case is only used after certain prepositions.

Мне пора́ идти́.	It's time for me to go.
Он о тебе́ говори́т.	He talks about you.
У него́ два туале́та.	He has two toilets.
Я ду́маю о нём.	I am thinking about him.
Ему́ на́до жени́ться.	He should get married.

Пи́тер игра́ет на гита́ре

With musical instruments the verb игра́ть - "to play" - is used with на and the prepositional case.

Пи́тер игра́ет на гита́ре.	Peter plays the guitar.
Са́ша игра́ет на аккордео́не.	Sasha plays the accordion.

за́нят - busy

This is a short adjective. Note the stress changes.

он за́нят / она́ занята́ / оно́ за́нято / они́ за́няты

Споко́йной ночи! - Good night!

This is in the genitive case. The verb жела́ть - "to wish", which takes the genitive case, is omitted.

спать - to sleep

я сплю, ты спишь, он / она́ спит, мы спим, вы спи́те, они́ спят

петь - to sing

я пою́, ты поёшь, он / она́ поёт, мы поём, вы поёте, они пою́т

пить - to drink

я пью, ты пьёшь, он / она́ пьёт, мы пьём, вы пьёте, они пью́т

Чай с молоко́м   **Чай с лимо́ном**

1.   Вопро́сы к те́ксту.   Questions on the text

а.   Людми́ла пьёт чай с лимо́ном или с молоко́м?
б.   Где жила́ Людми́ла в Ло́ндоне?
в.   Вади́м зна́ет, что Людми́ла жила́ у Пи́тера?
г.   Дом Пи́тера - это типи́чный англи́йский дом?
д.   У Пи́тера есть балко́н?
е.   Како́й телеви́зор у Пи́тера?
ж.   Пи́тер живёт оди́н?
з.   Что ду́мает Тама́ра о са́де Пи́тера?

2.   Peter and Vadim.   Complete the dialogue

– А вы живёте в _____ Ло́ндона?	сад
– Нет, но недалеко́ от _____.	кварти́ра
– У вас _____?	до́ме
– Нет, я живу́ в _____.	це́нтре
– Интере́сно. А это _____ дом?	це́нтра
– Нет. Это обы́чный дом. Два _____.	большо́й
Но _____ большо́й.	ма́мой
– Очень интере́сно. А ва́ша _____ рабо́тает?	этажа́
– У меня́ нет _____. Я живу́ с _____.	жены́
	жена́

3.   Fill the gaps according to the story and
change the ending as necessary

а. Людми́ла пьёт чай с _____.	ма́ма
б. Пи́тер живёт с _____.	Пи́тер
в. Тама́ра хо́чет познако́миться с _____.	молоко́
г. Пи́тер игра́ет в ша́хматы с _____.	Людми́ла
д. Ива́н был в теа́тре с _____.	Вади́м
е. Фильм "Из Росси́и с _____".	любо́вь

4.   An exercise to practise case endings. Answer the
questions using Пи́тер in your answer

а.   О ком вы ду́маете? О Вади́ме?   Нет, о Пи́тере!
б.   У кого́ есть но́вый биле́т? У Вади́ма?   Нет, у _____ !
в.   Кто был в гости́нице? Вади́м?   Нет, _____!
г.   Кому́ вы звони́те? Вади́му?   Нет, _____!
д.   Вы бы́ли в до́ме Вади́ма?   Нет, в до́ме _____ !
е.   С кем вы игра́ли? С Вади́мом?   Нет, с _____!

5.   Repeat the same exercise with Людми́ла instead of Пи́тер,
and then with other Russian names.

You are working for an oil firm in the town of Nefteyugansk in Siberia. The weather is bad and you can't go out. You decide to watch some television. You look at the TV section in the local paper and make a note of programmes which may be of interest. You make a note of the title and time of:

1. Any sports programmes

2. Any opportunities to listen to music

3. Any programmes of specific relevance to your work in the oil industry

ТВ ДЛЯ ВАС!

Канал ОСТАНКИНО

9.20	Мультфильм
9.25	Симпсоны
10.10	Торговый мост
10.40	В мире животных
11.20	Теледоктор
11.50	Волейбол
12.20	Телефильм "Криминальный талант"
13.25	Мультфильм
13.40	Новости
14.30	Теннис
16.10	Блокнот
16.15	Зебра
17.00	Концерт : Американский джаз
18.20	Последняя война в Грузии
19.00	Симпсоны
19.55	Итоги
20.35	Документальный телефильм
21.50	"Моя вторая мама" художественный фильм
23.50	Хоккей

Канал РОССИЯ

8.55	Концерт
9.15	Панорама новостей
10.10	Нью-Йорк сегодня
11.15	Музыкальный фестиваль в Санкт-Петербурге
12.10	С новым домом!
13.10	Российская энциклопедия
13.55	Нефтяные ресурсы Сибири
14.15	Художественный фильм "Я шагаю по Москве"
16.10	Наша железная дорога
17.10	Волшебный мир Диснея
18.25	Кинозвезды говорят
19.00	Военное ревю
19.20	Мультфильм
19.30	Специальный корреспондент
20.00	Что? Где? Когда?
20.45	Дикая природа Америки
21.15	Календарь садовода
21.45	Видеосалон
23.05	Ночное небо

www

For an exercise on the 24 hour clock linked to this page, please go to: www.ruslan.co.uk/ruslan1.htm

www

87

Tamara is looking for a new flat. A man telephones.
1. How does he describe his flat?
2. How big is his kitchen?
3. Where is his flat situated?
4. Tamara jotted down his phone number. Is it correct?

246-89-47

ГОВОРИТЕ!

1. **Use the following questions to prepare a short description of your house or flat**

    – У вас большо́й дом / больша́я кварти́ра?
    – У вас два этажа́?
    – Каки́е у вас ко́мнаты?
    – У вас есть балко́н?
    – У вас есть гара́ж?
    – У вас есть компью́тер, телеви́зор, телефо́н?
    – Кака́я ме́бель у вас?
    – У вас большо́й сад?
    – Вы живёте в це́нтре го́рода?

    Then compare your house or flat with those of other people in the group.

2. **Language game for a group**
    Who are you playing with? С кем вы игра́ете?

    Prepare a set of name cards with first names only.
    Ива́н - Бори́с - Ни́на - Ната́ша и т.д.

    Each member of the group picks two or three cards. These are the people you have to say you are playing with.

    In a circle, the first person says who he is playing with:
    Я игра́ю с Ива́ном и с Ни́ной.

    The second person repeats this and adds his own statement:
    Пи́тер игра́ет с Ива́ном и с Ни́ной, а я игра́ю с Ка́тей и с Бори́сом.
    Carry on round the circle until everyone has had a turn. Help each other if necessary.

    Then talk to other people at random, trying to remember who they are playing with.

3. Вы игра́ете на гита́ре?

Find out what instruments people play.

- Вы игра́ете на гита́ре?   – Нет.
- Вы игра́ете на пиани́но?   – Нет.
- Вы игра́ете на аккордео́не?   – Да.
- Я то́же игра́ю на аккордео́не.   – Хорошо́!

You can also talk about what instruments are played by different musicians you know of, and by your friends and relatives. You can talk about what instruments you have played in the past.

| аккордео́н |
| балала́йка |
| виолонче́ль |
| кларне́т |
| контраба́с |
| бараба́н |
| фле́йта |
| гита́ра |
| орга́н |
| пиани́но |
| роя́ль |
| саксофо́н |
| труба́ |
| тромбо́н |
| скри́пка |
| гобо́й |

www

4. Noun endings practice

Use the name cards you prepared for exercise 2. Prepare some question cards for actions that take different endings, for example the questions in exercise 4 page 140. One person deals out a question card, the next a name card, and you have to give the answer as quickly as possible.

– Я ду́маю о Ната́ше!

Ната́ша

О ком вы ду́маете?

На даче

88 В субботу и в воскресенье Игорь был на даче у Нелли и Николая.
Дача находится в лесу, далеко от города. От центра Новосибирска
почти два часа на машине.

Это большой, деревянный дом. Внизу – прихожая, кухня и большая
гостиная. На кухне – традиционная русская печь. В гостиной –
диван, два кресла и столик. На стене – часы, картины и фотографии.
Наверху – две спальни. Там письменный стол и второй диван.
На стене – туркменский ковёр.

В гараже – лыжи, санки, велосипеды и старый мотоцикл «Урал».
В погребе – картошка. Около дома – небольшой огород. Там овощи
и ягоды. Недалеко – колодец, сарай и туалет. Вода в колодце очень
вкусная.

На даче нет телефона и часто нет электричества. В сентябре Николай
хочет купить генератор.

После обеда Игорь, Нелли и Николай сидят на веранде. Они пьют чай
с вареньем. Нелли играет на гитаре и поёт. Игорь и Николай играют
в домино, а дети играют с котом.

Вечером друзья сидят на кухне
и разговаривают. Дети спят.
Кот тоже спит. Недалеко в лесу
поёт соловей. Как хорошо! Игорь
говорит, что у него скоро будет
новая работа в городе Байкальске,
на берегу Байкала. Но пока это
большой секрет.

Русская дача

находиться	-	to be situated	мотоцикл	-	motorbike
лес	-	forest	ягоды	-	berries
почти	-	almost	колодец	-	a well
деревянный	-	wooden	сарай	-	shed
прихожая	-	entrance hall	генератор	-	generator
традиционный	-	traditional	веранда	-	porch
печь (f.)	-	stove	сидеть	-	to sit
стена	-	wall	варенье	-	jam
часы	-	clock	дети	-	children
туркменский	-	Turkmenian	кот	-	cat
ковёр	-	carpet	друзья	-	friends
погреб	-	store under floor	соловей	-	nightingale
лыжи	-	skis	берег	-	bank (of river etc.)
санки	-	toboggan	Байкал	-	Lake Baikal
велосипед	-	bicycle	пока	-	for now

Вопро́сы к те́ксту

а. Где был Игорь в суббо́ту и в воскресе́нье?

б. Где нахо́дится да́ча Не́лли и Никола́я?

в. Это но́вый дом?

г. Каки́е ко́мнаты внизу́ и каки́е наверху́?

д. Кака́я ме́бель в до́ме?

е. Что в по́гребе?

ж. Что в огоро́де?

з. Где туале́т?

и. Как Вы ду́маете, почему́ Никола́й хо́чет купи́ть генера́тор?

к. Что говори́т Игорь о рабо́те?

собира́ться	-	to gather together
ками́н	-	fireplace
услы́шав нас	-	having heard us
заводи́ть	-	to start (something)
в тот же час	-	at the same moment

Ру́сский лес

Стихотворе́ние 89

Люблю́ на да́чу е́здить я.
Здесь собира́ются друзья́.
Я на ками́н люблю́ смотре́ть,
А Не́лли о́чень лю́бит петь.
Я то́же вме́сте с ней пою́,
Живём на да́че, как в раю́!
И солове́й, услы́шав нас,
Заво́дит пе́сню в тот же час.
Пою́т и все мои́ друзья́ ...
Люблю́ на да́чу е́здить я!

С.М. Козло́в - 2008

Перево́д

– Masha was saying that you have a new flat.

– Yes, I have a large flat in the centre of Moscow.

– How many rooms do you have?

– There are a living room, two bedrooms, a bathroom and a small kitchen.

– And what furniture do you have?

– The usual furniture: tables, chairs, bookshelves, a sofa and two beds.

– Do you live alone?

– No, I live with my brother. He is very busy, he works a lot. But in his free time he plays the violin and sings. Now he is playing chess with a friend.

– Do you have the Internet in the flat?

– Yes, of course. It works well!

СТЕПЬ ДА СТЕПЬ КРУГОМ

THE STEPPE ALL AROUND

 90

Степь да степь кругóм,	The steppe is all around,
Путь далёк лежúт.	The distant road ahead.
В той степú глухóй	In that distant steppe
Умирáл ямщúк.	The coachman was dying.
И набрáвшись сил,	And gathering his strength,
Чýя смéрти час,	Sensing the hour of death.
Он товáрищу	To his comrade
Отдавáл накáз.	He made a request.
Ты, товáрищ мой,	You, my comrade
Не попóмни зла.	Forget our difficulties.
Здесь в степú глухóй	Here in the distant steppe
Схоронú меня́.	Bury me.
А женé скажú,	And tell my wife
Что в степú замёрз,	That I froze in the steppe.
А любóвь её	And her love
Я с собóй унёс.	I took away with me.
Степь да степь кругóм,	The steppe is all around,
Путь далёк лежúт.	The distant road ahead.
В той степú глухóй	In that distant steppe
Умирáл ямщúк.	The coachman was dying.

This old Russian folk song is sung by the Rossica choir, who recorded the dialogues in this book. You can obtain their music on CD from Ruslan Limited: www.ruslan.co.uk

These are the texts of the listening exercises from each lesson. The dialogues are for general comprehension practice. They include some points that you will not have met in the lessons and some new words which you will find in the dictionary.

1. АЭРОПОРТ

Таможенник:	Ваш паспорт, пожалуйста.
Людмила:	Вот..., пожалуйста.
Таможенник:	А где ваши виза и декларация?
Людмила:	Вот.
Таможенник:	Так.. хорошо. Вы приехали из Англии?
Людмила:	Да.
Таможенник:	С какой целью вы ездили в Англию?
Людмила:	Туризм.
Таможенник:	Какие города вы посетили?
Людмила:	Лондон, конечно. Я там жила. ... Кроме этого: Кембридж, Бирмингем, Манчестер, Виндзор, Ливерпуль...
Таможенник:	Что у вас в багаже?
Людмила:	Одежда, сувениры, фотоаппарат...
Таможенник:	Вот ваш паспорт. Проходите.

🎧 11

2. УЛИЦА

Иван:	Скажите пожалуйста, что это за здание?
Прохожий:	Это музей Пушкина.
Иван:	А метро "Смоленская" отсюда далеко?
Прохожий:	Нет, это близко. Десять минут. А вам куда?
Иван:	Мне нужна улица Веснина, дом десять.
Прохожий:	Да, это близко от метро «Смоленская». Идите прямо, и улица Веснина налево.
Иван:	Спасибо.
Прохожий:	Не за что.

🎧 19

3. СЕМЬЯ

Людмила:	Зоя Петровна, а кто этот Иван?
З. Петровна:	Иван? Мой племянник. Сын моей сестры. Я тоже из Саранска. У меня в Саранске сестра. А Иван её сын.
Людмила:	Правда? Вы из Саранска?! А как зовут вашу сестру?
З. Петровна:	Её зовут Нина... Нина Петровна. Я её очень давно не видела.
Людмила:	Так Иван и Вадим не знакомы?
З. Петровна:	Да, не знакомы.
Людмила:	Как интересно!

🎧 26

4. ГДЕ ВЫ БЫЛИ?

🔉 34

Людми́ла:	Вади́м, как ты ду́маешь, Ива́н бога́тый?
Вади́м:	Ду́маю, миллионе́р.
Людми́ла:	Почему́ ты так ду́маешь?
Вади́м:	Я, коне́чно, не зна́ю..., но... Сара́нск большо́й го́род...
	А как ты ду́маешь, что он де́лал в Ло́ндоне? Сара́нск...
	Ло́ндон... бизнесме́н... да! Ду́маю, он миллионе́р!
Людми́ла:	А ты то́же миллионе́р?
Вади́м:	Ну что ты, Лю́дочка! Ты же меня́ зна́ешь.
	Я не миллионе́р. Ты лу́чше скажи́ мне, где ты жила́ в Ло́ндоне?
Людми́ла:	Я жила́ ... в гости́нице... в гости́нице Хи́лтон.
Вади́м:	Это далеко́ от це́нтра?
Людми́ла:	Это в са́мом це́нтре. Недалеко́ от Гайд Па́рка.

5. ГОСТИНИЦА

🔉 44

М.С.:	Алло́!
Ива́н:	Михаи́л Серге́евич? Здра́вствуйте! Это Ива́н Козло́в говори́т.
М.С.:	Козло́в из Сара́нска? Вы уже́ в Москве́? Когда́ прилете́ли?
Ива́н:	Сего́дня.
М.С.:	Где вы останови́лись?
Ива́н:	В гости́нице «Марс». Зна́ете э́ту гости́ницу? Она́ на Арба́те.
М.С.:	Ну, прекра́сно! Это недалеко́. Так мы вас ждём за́втра.
	У вас а́дрес есть?
Ива́н:	Да, а́дрес есть.
М.С.:	Ну прекра́сно! А како́й у вас там телефо́н?
Ива́н:	Телефо́н? Сейча́с. Запиши́те. 293 2526.
М.С.:	Хорошо́! 293 2526. Записа́л. До за́втра.
Ива́н:	До за́втра.

6. РЕСТОРАН

🔉 53

Вади́м:	Ве́ра, что вы хоти́те на заку́ску?
Ве́ра:	А что у них есть?
Вади́м:	Хоти́те икру́?
Ве́ра:	Нет, спаси́бо. Икру́ мне нельзя́. У меня́ от икры́ аллерги́я.
Вади́м:	А пить что вы хоти́те?
Ве́ра:	Если мо́жно, кра́сное вино́.
Вади́м:	Ну, коне́чно, мо́жно. ... Де́вушка, принеси́те, пожа́луйста буты́лку
	кра́сного вина́, сала́т, икру́ и колбасу́. Пока́ всё, а там - посмо́трим.
Ве́ра:	А здесь о́чень непло́хо!
Вади́м:	Да, рестора́н о́чень хоро́ший, но, к сожале́нию, о́чень дорого́й.

7. О СЕБЕ

🔉 61

Ве́ра:	Вади́м, кто э́то сиде́л в рестора́не в гости́нице «Марс»?
Вади́м:	А... э́то моя́ о́чень хоро́шая знако́мая... Её зову́т Людми́ла.
Ве́ра:	Людми́ла... А э́то был её муж?
Вади́м:	Её муж?! Ха-ха-ха... нет! Это не её муж. Это мой провинциа́льный
	ро́дственник – бизнесме́н, миллионе́р из Сара́нска.
Ве́ра:	Миллионе́р? Вы серьёзно? Это о́чень интере́сно! Расскажи́те о нём.
Вади́м:	Со́бственно говоря́, я его́ совсе́м не зна́ю. Мы познако́мились вчера́.
Ве́ра:	Ну, тогда́ познако́мьте меня́ с ним.
Вади́м:	Посмо́трим...

8. ВРЕМЯ

Ива́н:	Алло́! Это театра́льная ка́сса?
Де́вушка:	Да, что вы хоти́те?
Ива́н:	Мо́жно заказа́ть биле́ты в Большо́й теа́тр?
Де́вушка:	Когда́ вы хоти́те пойти́?
Ива́н:	У вас есть биле́ты на за́втра?
Де́вушка:	На за́втра? Сейча́с посмотрю́. Да, есть два биле́та на бале́т Чайко́вского «Щелку́нчик». Нача́ло в два часа́ дня. Вам о́чень повезло́!
Ива́н:	В два часа́ дня? Нет, э́то не подхо́дит. А на ве́чер есть биле́ты?
Де́вушка:	Ве́чером идёт о́пера «Снегу́рочку».
Ива́н:	А биле́ты есть?
Де́вушка:	Биле́тов мно́го.
Ива́н:	Когда́ начина́ется спекта́кль?
Де́вушка:	В семь часо́в.
Ива́н:	Отли́чно. Мне на́до два биле́та. Моя́ фами́лия Козло́в.
Де́вушка:	Хорошо́.

9. ТЕАТР

Тама́ра:	Так ты из теа́тра, так по́здно?! Уже́ оди́ннадцать часо́в!
Людми́ла:	Да. Извини́, что я так по́здно.
Тама́ра:	Это твой миллионе́р тебя́ пригласи́л в теа́тр? Как его́ зову́т?
Людми́ла:	Ива́н...
Тама́ра:	Ах, да! Ива́н Козло́в, ты мне говори́ла. И что вы смотре́ли?
Людми́ла:	«Снегу́рочку».
Тама́ра:	Я забы́ла, это бале́т и́ли о́пера?
Людми́ла:	Опера, коне́чно. Ты «Снегу́рочку» не смотре́ла?
Тама́ра:	Не смотре́ла. Но меня́ интересу́ет твой миллионе́р. Когда́ мо́жно с ним встре́титься?
Людми́ла:	Тама́ра, я не зна́ю. Он о́чень за́нят.

10. ДОМ

Тама́ра:	Алло́!
Мужчи́на:	Я звоню́ по по́воду кварти́ры.
Тама́ра:	Да. Я вас слу́шаю.
Мужчи́на:	У меня́ однокомнатная кварти́ра со все́ми удо́бствами.
Тама́ра:	Опиши́те кварти́ру.
Мужчи́на:	Больша́я све́тлая ко́мната, большо́й балко́н и ку́хня.
Тама́ра:	Ку́хня больша́я?
Мужчи́на:	Не о́чень.
Тама́ра:	Поня́тно... А где нахо́дится кварти́ра?
Мужчи́на:	В са́мом це́нтре. На Арба́те.
Тама́ра:	На Арба́те? Это интере́сно!
Мужчи́на:	Да. Это о́чень удо́бное ме́сто.
Тама́ра:	Хорошо́. Я поду́маю и позвоню́ вам. Да́йте мне ваш телефо́н.
Мужчи́на:	Меня́ зову́т Васи́лий Никола́евич. Мой телефо́н: 246-89-74.

GRAMMAR REFERENCE

This is a summary of the grammatical points in Ruslan 1. Further grammatical points will be introduced in Ruslan 2 and Ruslan 3.

See pages

Russian nouns have three genders: masculine, feminine and neuter. You can normally tell the gender by the noun ending.

21, 35, 99

Russian has six cases. Nouns decline according to number and case. Adjectives and pronouns decline according to number, gender and case.

21

The nominative case is used for the subject of a sentence or for naming an object.

21

The accusative is used for the direct object, after в and на meaning "to", in certain expressions of time, and after спасибо за.

87, 138

The genitive is used to express "of" and after a large number of prepositions, including у, из, от, для, óколо, без and напрóтив. It is used after expressions of quantity such as мнóго and after нет to express "none of". The genitive singular of nouns is used after numbers 2, 3, 4, 22, 23, 24, 32, 33, 34, etc. and the genitive plural is used after numbers 5-20, 25-30, 35-40, etc. Certain verbs also take the genitive.

48, 61, 75

139

The dative is used for indirect objects and after к - "towards" - and по - "along".

49, 124

The instrumental is used with с to express "with".

138

The prepositional is used after в and на meaning "at" or "in", or after о - "about".

60, 99

More uses of the cases are given in Ruslan 2 and Ruslan 3.

Masculine noun endings

	hard	-ь	-ж, -ч, -ш, -щ	-ай	
N.	билéт	гость	ключ	трамвáй	S
A.	билéт	гóстя*	ключ	трамвáй	I
G.	билéта	гóстя	ключá	трамвáя	N G
D.	билéту	гóстю	ключý	трамвáю	U
I.	билéтом	гóстем	ключóм	трамвáем	L A
P.	билéте	гóсте	ключé	трамвáе	R
N.	билéты	гóсти	ключи	трамвáи	P
A.	билéты	гостéй*	ключи	трамвáи	L U
G.	билéтов	гостéй	ключéй	трамвáев	R
D.	билéтам	гостя́м	ключáм	трамвáям	A L
I.	билéтами	гостя́ми	ключáми	трамвáями	
P.	билéтах	гостя́х	ключáх	трамвáях	

* The accusative of animate masculine nouns is the same as the genitive.

Neuter noun endings

	-о	-е	-ие	-мя	
N.	ме́сто	мо́ре	зда́ние	вре́мя	S
A.	ме́сто	мо́ре	зда́ние	вре́мя	I
G.	ме́ста	мо́ря	зда́ния	вре́мени	N
D.	ме́сту	мо́рю	зда́нию	вре́мени	G U
I.	ме́стом	мо́рем	зда́нием	вре́менем	L A
P.	ме́сте	мо́ре	зда́нии	вре́мени	R
N.	места́	моря́	зда́ния	времена́	P
A.	места́	моря́	зда́ния	времена́	L
G.	мест	море́й	зда́ний	времён	U R
D.	места́м	моря́м	зда́ниям	времена́м	A
I.	места́ми	моря́ми	зда́ниями	времена́ми	L
P.	места́х	моря́х	зда́ниях	времена́х	

Feminine noun endings

	-а	-га, -ка, etc.	-я	-ия	-ь
N.	ви́за	кни́га	неде́ля	деклара́ция	пло́щадь
A.	ви́зу	кни́гу	неде́лю	деклара́цию	пло́щадь
G.	ви́зы	кни́ги	неде́ли	деклара́ции	пло́щади
D.	ви́зе	кни́ге	неде́ле	деклара́ции	пло́щади
I.	ви́зой	кни́гой	неде́лей	деклара́цией	пло́щадью
P.	ви́зе	кни́ге	неде́ле	деклара́ции	пло́щади
N.	ви́зы	де́вушки	неде́ли	деклара́ции	пло́щади
A.	ви́зы	де́вушек*	неде́ли	деклара́ции	пло́щади
G.	виз	де́вушек	неде́ль	деклара́ций	площаде́й
D.	ви́зам	де́вушкам	неде́лям	деклара́циям	площадя́м
I.	ви́зами	де́вушками	неде́лями	деклара́циями	площадя́ми
P.	ви́зах	де́вушках	неде́лях	деклара́циях	площадя́х

* The accusative plural of animate feminine nouns is the same as the genitive.

Spelling rules

When endings change, certain consonants force a soft vowel.
1. ы cannot follow г, к, ж, х, ч, ш or щ. It is replaced by и.
The genitive singular of кни́га is therefore кни́ги.
2. unstressed о cannot follow ж, ц, ч, ш or щ. It is replaced by е.
The feminine instrumental "with Natasha" is therefore с Ната́шей.

Exceptions

Some masculine nouns have prepositional sing. in -у́ or -ю́. в саду́ - "in the garden".
Some masculine nouns have the nominative plural in -а́. города́ - "towns".
цвето́к - "a flower" has the nominative plural цветы́ and genitive plural цвето́в.
стул - "a chair" - has the nominative plural сту́лья and genitive plural сту́льев.
друг - "a friend" - has the nominative plural друзья́ and genitive plural друзе́й.
челове́к - "a person" - has the nominative plural лю́ди and genitive plural люде́й
    but with numbers the genitive plural is челове́к. See page 102.
мать and дочь have a stem in -ер-.   с ма́терью - "with mother".
Many nouns have a "fleeting" о or е. день - "a day". два дня - "two days".
There are often changes of stress. See the declensions of ме́сто and гость above.

There are some more unusual declensions and exceptions in Ruslan 2 and Ruslan 3.

Personal pronouns

N.	я	ты	он	она́	мы	вы	они́
A.	меня́	тебя́	его́	её	нас	вас	их
G.	меня́	тебя́	его́	её	нас	вас	их
D.	мне	тебе́	ему́	ей	нам	вам	им
I.	мной	тобо́й	им	ей	на́ми	ва́ми	и́ми
P.	мне	тебе́	нём	ней	нас	вас	них

After prepositions, его́, её, ему́, их, etc. change to него́, неё, нему́, них:

He has. У него́ есть.   with her - с ней   about them - о них

The question words кто - "who" and что - "what"

N.	кто	что	D.	кому́	чему́
A.	кого́	что	I.	кем	чем
G.	кого́	чего́	P.	ком	чём

Adjectives

You have so far only met nominative endings. See pages 87 and 113.

Possessive pronouns in the nominative

мой / моя́ / моё / мои́   my or mine.
твой / твоя́ / твоё / твои́   your or yours (familiar and singular)
ваш / ва́ша / ва́ше / ва́ши   your or yours (polite or plural)
наш / на́ша / на́ше / на́ши   our or ours

Russian verbs in the present
First conjugation ending in -ать

знать: я зна́ю, ты зна́ешь, он / она́ зна́ет, мы зна́ем, вы зна́ете, они́ зна́ют
понима́ть: я понима́ю, ты понима́ешь, он / она́ понима́ет, ...
рабо́тать: я рабо́таю, ты рабо́таешь, он / она́ рабо́тает, ...
ду́мать: я ду́маю, ты ду́маешь, он / она́ ду́мает, ...
обе́дать: я обе́даю, ты обе́даешь, он / она́ обе́дает, ...
спра́шивать: я спра́шиваю, ты спра́шиваешь, он / она́ спра́шивает, ...
чита́ть: я чита́ю, ты чита́ешь, он / она́ чита́ет, ...
де́лать: я де́лаю, ты де́лаешь, он / она́ де́лает, ...
приглаша́ть: я приглаша́ю, ты приглаша́ешь, он / она́ приглаша́ет, ...

оно́ has the same present
tense endings as он and она́

Other first conjugation verbs

жить: я живу́, ты живёшь, он / она́ живёт, мы живём, вы живёте, они́ живу́т
ждать: я жду, ты ждёшь, он / она́ ждёт, мы ждём, вы ждёте, они́ ждут
мочь: я могу́, ты мо́жешь, он / она́ мо́жет, мы мо́жем, вы мо́жете, они́ мо́гут

Second conjugation verbs

говори́ть: я говорю́, ты говори́шь, он / она́ говори́т, мы говори́м, вы говори́те,
           они́ говоря́т
смотре́ть: я смотрю́, ты смо́тришь, он / она́ смо́трит, мы смо́трим, вы смо́трите,
           они́ смо́трят

Second conjugation verbs with consonant changes in the first person

люби́ть: я люблю́, ты лю́бишь, он / она́ лю́бит, мы лю́бим, вы лю́бите, они́ лю́бят
ходи́ть: я хожу́, ты хо́дишь, он / она́ хо́дит, мы хо́дим, вы хо́дите, они́ хо́дят

A mixed conjugation

хоте́ть - я хочу́, ты хо́чешь, он / она́ хо́чет, мы хоти́м, вы хоти́те, они́ хотя́т

Russian verbs in the past

There are four endings:

masculine -л   feminine -ла   neuter -ло   plural -ли

Some typical conjugations:

знать: я знал / зна́ла, ты знал / зна́ла, он знал, она́ зна́ла, оно́ зна́ло
             мы / вы / они́ зна́ли

ждать: я ждал / ждала́, ты ждал / ждала́, он ждал, она́ ждала́, оно́ ждало́,
             мы / вы / они́ жда́ли

быть: я был / была́, ты был / была́, он был, она́ была́, оно́ бы́ло,
             мы / вы / они́ бы́ли

The perfective aspect

You have met some verbs in the perfective aspect:

заказа́ть   -   to book
забы́ть   -   to forget.

So far you have met these verbs either in the infinitive or in the past tense:

Мо́жно заказа́ть но́мер?   Is it possible to book a room?
Вы забы́ли?   Have you forgotten?

Don't try to change these verbs to form a present tense. This would in fact give you a perfective future tense instead. Verb aspects and future tenses are in Ruslan 2.

Imperative verb forms

Here are some imperative forms that you meet in Ruslan 1. The -те ending is used if you are using the polite or plural form вы.

Иди́те!	-	Go!	Дава́йте!	-	Lets ...!
Откро́йте!	-	Open!	Проходи́те!	-	Come through!
Извини́те!	-	Excuse (me)!	Скажи́те!	-	Tell (me)!
Чита́йте!	-	Read!	Слу́шайте!	-	Listen!
Найди́те!	-	Find!	Принеси́те!	-	Bring (me) ... !

To form the singular familiar form remove the -те ending.

Иди́!	-	Go!	Дава́й!	-	Lets ...!
Откро́й!	-	Open!	Проходи́!	-	Come through!
etc.					

Иди́те пря́мо!

RUSSIAN PRONUNCIATION

 www

The letter е, when stressed, normally sounds like "ye" in "yes".
For example: ел, éвро, поéл, здорóвье
It is sometimes pronounced slightly less softly. For example: дéлал, пел, бéлый.
When unstressed it is usually pronounced like a weak и. For example: óпера.

The letter ё is always stressed. It sounds like "yo" in "your". ёлка, полёт, пьёт.

The letter ю, at the start of a word or after a vowel, sounds like "u" in "united".
ю́мор, каю́та.
After a consonant it is slightly less soft: клю́ква, костю́м.

The letter я, at the start of a word or after a vowel, sounds like "ya" in "yak".
я́хта, мая́к.
Elsewhere, when я is stressed, it is pronounced slightly less softly: мяч, пя́тка.
When unstressed, between consonants, я may sound like a weak и: в сентябрé.

The letter о has its full value when stressed: винó
When one syllable away from the stress it sounds more like a weak а: откры́т
When two syllables away it can sound even weaker, like the first о in: хорошó

Vowels in imported words do not always follow the rules.
кафé, мéтод, клиéнт have a hard е.
при́нтер, компью́тер have an unstressed е which does not reduce to a weak и.
рáдио has an unstressed о with full value.

The pronunciation of consonants
Before е, ё, и, ю, я and ь the consonants б, в, д, з, к, л, м, н, р, с, т, ф, х and ш
are softened or "palatalised": тётя, мир, Лéна.
However before э, о, ы, у and а they remain unaffected, i.e. hard: Тамáра, сыр.

ж, ш, ц are always hard. After these letters и sounds like ы, е sounds like э, and
a soft sign is ignored: жить, центр, игрáешь.
ч and щ are always soft. After ч and щ, а sounds like я and у like ю: чáшка, щу́ка.

Voiced and voiceless consonants
д, г, в, з, ж, б are voiced (vocal chords vibrate)
т, к, ф, с, ш, п are voiceless (vocal cords do not vibrate)
Each voiced consonant has a voiceless equivalent:
д / т, г / к, в / ф, з / с, ж / ш, б / п

Voiced consonants at the end of a word are pronounced as voiceless.
    шоколáд is pronounced шоколáт   Чéхов is pronounced Чéхоф
    друг is pronounced друк   гарáж is pronounced гарáш

When voiced and voiceless consonants are adjacent to each other, the nature of the second consonant determines the nature of the first.
If the second consonant is voiced, the first consonant will also be voiced:
    футбóл is pronounced фудбóл
If the second consonant is voiceless, the first consonant will also be voiceless.
    в клу́бе is pronounced ф клу́бе   вóдка is pronounced вóтка

RUSSIAN PUNCTUATION

Russian punctuation is in many respects similar to English punctuation. The main differences that you will notice in **Ruslan 1** are:

The comma is used after да and нет, and after words of address and interjections.

Да, ты прав.   Yes you are right.
Привёт, Сергéй!   Hi Sergey!

The comma is used between a main clause and a subordinate or a relative clause.

Он говори́т, что ты здесь. He says that you are here.

The comma is used after words in parenthesis, e.g. пожа́луйста, конéчно, наприме́р, ка́жется, мо́жет быть.

Мо́жет быть, это Елéна.   Perhaps it is Elena.

The dash is used to replace the verb "to be".

Ива́н – бизнесмéн.   Ivan is a businessman.
Моско́вское врéмя – двена́дцать часо́в. Moscow time is 12.00.

The dash is not used in this way when the subject is a pronoun.

Я бизнесмéн.   I am a businessman.

The dash is used to replace a verb or a notion that is understood.

Я игра́ю на гита́ре, а ты – на пиани́но.

           I play the guitar and you play the piano.

Сара́тов на Во́лге, а Сара́нск – нет.

           Satatov is on the Volga but Saransk is not.

Speech is normally indicated with a dash.

– Нет, – говори́т Игорь. – Не мо́жет быть.

           "No", says Igor. "That cannot be".

Guillemets («») may also be used for speech, but their main use is for film titles, book titles, quotes, etc.

Вы смотрéли фильм «Балла́да о солда́те»?

           Have you seen the film "Ballad of a Soldier"?

There is more detail about Russian punctuation in the Ruslan Russian Grammar.

ENGLISH - RUSSIAN DICTIONARY

This section contains the vocabulary in this book, plus some additional vocabulary for the Ruslan 1 multimedia CD-ROM. Where words have more than one meaning the meaning or meanings used in this book have been given. Where verbs are given in their aspect pairs the imperfective is first.

to be able to	мочь / смочь	at / in	в (+ prep.)
about	о (+ prep.)	at / on	на (+ prep.)
to accept	принимáть /	attendant	дежýрный / -ая
	принять	attention	внимáние
accordion	аккордеóн	attic	чердáк
achievement	достижéние	audible	слышно
acquaintance	знакóмый / -ая	aunt	тётя
acquainted (short adj.)	знакóм / знакóма	Australia	Австрáлия
	знакóмы	an Australian	австралиец / -ийка
actor	актёр	avenue	проспéкт
administrator	администрáтор		
Afghan (adj.)	афгáнский	(go) back	назáд
after	пóсле (+ gen.)	bad	плохóй
again	ещё, опять	badminton	бадминтóн
air hostess	стюардéсса	bag	сýмка
airline	авиакомпáния	baggage	багáж
airport	аэропóрт	baggage reclaim	выдача багажá
all	весь, вся, всё, все	balalaika	балалáйка
allergy	аллергия	balcony	балкóн
almost	почти	ballet	балéт
alone	один / однá / одни	the Baltic	Бáлтика
along	по (+ dat.)	banana	банáн
already	ужé	bank (money)	банк
also	тóже / тáкже	bank (river etc.)	бéрег
always	всегдá	banker	банкир
America	Амéрика	bar	бар
an American	америкáнец / -ка	baseball	бейсбóл
American (adj.)	америкáнский	basement	подвáл
analyst	аналитик	basketball	баскетбóл
and	и	to be	быть (imp.)
and, but	а	bear	медвéдь (m.)
anecdote	анекдóт	beautiful	красивый
another	другóй	because	потомý что
aperitif	аперитив	bedroom	спáльня
apple	яблоко	beef Stroganoff	бефстрóганов
April	апрéль (m.)	beer	пиво
Arabian (adj.)	арáбский	beetroot soup	борщ
argument (reason)	аргумéнт	before	рáньше
arithmetic	арифмéтика	to begin (intransitive)	начинáться /
armchair	крéсло		начáться
army	áрмия	beginning	начáло
arrival	прибытие	Belgium	Бéльгия
arrival (by vehicle)	приéзд	belt, zone	пóяс
to arrive (by vehicle)	приéхать (perf.)	berry	ягода
art (adj.)	худóжественный	better	лýчше
artist (performing)	артист	bicycle	велосипéд
to ask (a favour)	просить /	big	большóй
	попросить	bill	счёт
to ask (a question)	спрáшивать /	birth	рождéние
	спросить	birthday	день рождéния
aspirin	аспирин	black	чёрный

blouse	блу́зка	to catch	лови́ть / пойма́ть
to book	зака́зывать /	cathedral	собо́р
	заказа́ть	caviare	икра́
book	кни́га	cello	виолонче́ль (f.)
book (adj.)	кни́жный	cement	цеме́нт
boots	сапоги́	cemetery	кла́дбище
botanical	ботани́ческий	centre	центр
bottle	буты́лка	central	центра́льный
box (theatre)	ло́жа	certificate	сертифика́т
Brazilian (adj.)	брази́льский	chair	стул
bread	хлеб	chairs	сту́лья
breakfast	за́втрак	champagne	шампа́нское
bridge	мост	champion	чемпио́н
briefcase	портфе́ль (m.)	check-in	регистра́ция
to bring	приноси́ть /	cheese	сыр
	принести́	chess	ша́хматы
		chicken	ку́рица
Bring!	Принеси́те!	young chicken	цыплёнок
British	брита́нский	children	де́ти
brother	брат	China	Кита́й
budget	бюдже́т	Chinese (adj.)	кита́йский
to build	стро́ить /	chocolate	шокола́д
	постро́ить	choir	хор
building	зда́ние	to choose	вы́брать / выбира́ть
bureau	бюро́	Christmas	Рождество́
burger	котле́та	Cinderella	Зо́лушка
is buried	похоро́нен	cinema	кино́
bus	авто́бус	cinema critic	кинокри́тик
business	би́знес / де́ло	cinema	кинотеа́тр
on business	по де́лу	circle (theatre)	я́рус
business trip	командиро́вка	circus	цирк
businessman/person	бизнесме́н	citizen	граждани́н / -а́нка
busy	за́нят / занята́ /	clarinet	кларне́т
	за́нято / за́няты	classical	класси́ческий
but	но / а	to click	нажа́ть (perf.)
to buy	покупа́ть / купи́ть	client	клие́нт
		clock	часы́
cabbage soup	щи	closed	закры́т /-а /-о /-ы
café	кафе́	clothing	оде́жда
calculator	калькуля́тор	clown	кло́ун
to call	звони́ть (imp.)	club	клуб
camcorder	камко́рдер	cockroach	тарака́н
camera	фотоаппара́т	coffee	ко́фе (m. / n.)
campfire	костёр	cognac	конья́к
Canada	Кана́да	cold (adj.)	холо́дный
a Canadian	кана́дец / -ка	colleague	колле́га
Canadian (adj.)	кана́дский	colour(-ed) (adj.)	цветно́й
canal	кана́л	Come through!	Проходи́те!
capital city	столи́ца	Come! (by vehicle)	Приезжа́йте!
card	ка́рточка	comfortable	удо́бный
card	ка́рта	commentary	комента́рий
carpet	ковёр	committee	комите́т
cartoon film	мультфи́льм	compact disk	компа́кт-диск
cascade	каска́д	to complete	зако́нчить (perf.)
cash desk / window	ка́сса	computer	компью́тер
cash machine	банкома́т	conductor	дирижёр
cat	кот		

in connection with	по пóводу	dream (daydream)	мечтá
consultant	консультáнт	dress circle (theatre)	бельэтáж
content	содержáние	drink	напúток
continuation	продолжéние	drink	пить / вЫпить
control	контрóль (m.)	driver	водúтель, шофёр
convenience	удóбство	drug / drugs (narcotic)	наркóтик
convenient	удóбный	drum	барабáн
correct	прáвильный	dumplings	пельмéни
corridor	коридóр	Dutch	голлáндский
cosmonaut	космонáвт	early	рáно
to cost	стóить (imp.)	earth	земля́
country (nation)	странá	it is easy	легкó
countryside	дерéвня	economist	экономúст
course	курс	economy	хозя́йство,
credit (adj.)	кредúтный		эконóмика
crisis	крúзис	effect	эффéкт
criterion	критéрий	Egypt	Егúпет
crossing (pedestrian)	перехóд	eight	вóсемь
cruiser	крéйсер	eighteen	восемнáдцать
Cuba	Кýба	eighty	вóсемьдесят
cultured / cultural	культýрный	electricity	электрúчество
hard currency	валюта	eleven	одúннадцать
customs	тамóжня	email	электрóнная пóчта
customs officer	тамóженник	engineer	инженéр
		England	Англия
darts	дартс	English (adj.)	англúйский
date	дáта	Englishman / -woman	англичáнин / -ка
date	числó	entrance hall	прихóжая
daughter	дочь	escalator	эскалáтор
day	день	euro / euros	éвро
day off	выходнóй	Europe	Еврóпа
dear	дорогóй	even	дáже
December	декáбрь	evening	вéчер
declaration	декларáция	every, each	кáждый
demonstration	мúтинг	everybody	все
Denmark	Дáния	everything	всё
departure	отправлéние	everywhere	вездé
dessert	десéрт, слáдкое	excellent	отлúчный
detached house	коттéдж	exchange	обмéн
dialogue	диалóг	Excuse (me)!	Извинúте!
dictatorship	диктатýра	exercise	упражнéние
dictionary	словáрь (m.)	exhibition	вЫставка
dining room	столóвая	exit (pedestrian)	вЫход
dinner, midday meal	обéд	expensive	дорогóй
to have dinner	обéдать /	expert	экспéрт
	пообéдать	express	экспрéсс
dish	блюдо		
display board	таблó	fact	факт
to do	дéлать / сдéлать	in fact	на сáмом дéле
doctor	врач	family	семья́
doctor (form of address)	дóктор	family name	фамúлия
document	докумéнт	far	далекó
dollar	дóллар	as far as	до (+ gen.)
Don't!	Не нáдо!	father	отéц
double bass	контрабáс	Father Frost	Дед Морóз
downstairs	внизý	fatherland	отéчество

fax	факс	garden	сад
February	февра́ль (m.)	gas	газ
federation	федера́ция	gates (large)	воро́та
female friend	подру́га	to gather together	собира́ться /
fifteen	пятна́дцать		собра́ться
fifty	пятьдеся́т	generator	генера́тор
to fill in	запо́лнить (perf.)	Georgia	Гру́зия
to find	найти́ / находи́ть	a Georgian	грузи́н / грузи́нка
to find out	узна́ть / узнава́ть	Georgian (adj.)	грузи́нский
fine, all right	ла́дно	German (adj.)	неме́цкий
to finish (intransitive)	конча́ться /	a German	не́мец / не́мка
	ко́нчится	Germany	Герма́ния
fireplace	ками́н	girl (young)	де́вочка
firm	фи́рма	to give	дава́ть / дать
first	пе́рвый	Give ... !	Да́йте ...!
first aid station	медпу́нкт	glad	рад
fish	ры́ба	to go (by foot)	идти́ / пойти́
five	пять	to go (regularly, on foot)	ходи́ть (imp.)
flag	флаг	to go (by vehicle)	е́хать / пое́хать
flat	кварти́ра	to go (regularly, by vehicle)	е́здить (imp.)
flight	рейс	Go! / Come!	Иди́те!
arriving flight	прилёт	golf	гольф
floor	эта́ж	good	хоро́ший
flute	фле́йта	it is good	хорошо́
to follow	сле́довать (imp.)	Goodbye!	До свида́ния!
food products	проду́кты	Good evening!	До́брый ве́чер!
on foot	пешко́м	Good morning!	До́брое у́тро!
for	для (+ gen.)	Good night!	Споко́йной но́чи!
for example	наприме́р	gram	грамм
foreigner	иностра́нец / -ка	grand piano	роя́ль (m.)
forest	лес	granddaughter	вну́чка
to forget	забыва́ть / забы́ть	grandfather	де́душка / дед
form	бланк	grandmother	ба́бушка
former	бы́вший	grandson	внук
fortress	кре́пость (f.)	Greece	Гре́ция
forty	со́рок	Greek (adj.)	гре́ческий
four	четы́ре	a greeting	приве́т
fourteen	четы́рнадцать	guest	гость (m.)
foyer	фойе́	guitar	гита́ра
France	Фра́нция	guitarist	гитари́ст
free (unencumbered)	свобо́дный		
free (of charge)	беспла́тный	hall (large room)	зал
French	францу́зский	handbag	су́мка
Friday	пя́тница	harmonica	гармо́нь (f.)
fridge	холоди́льник	I have	у меня́ есть
fried / roasted	жа́реный	you have	у вас / тебя́ есть
friend	друг	he	он
friends	друзья́	to hear	слы́шать /
from	из (+ gen.) / от (+ gen.)		услы́шать
from (a time)	с (+ gen.)	Hello!	Здра́вствуйте!
from here	отсю́да	Hello! (on the phone)	Алло́!
frost	моро́з	help	по́мощь (f.)
a fruit	фрукт	her (possessive)	её
fruit (adj.)	фрукто́вый	her (object)	её
fur hat	ша́пка	to her, for her	ей
furniture	ме́бель (f.)	here	здесь

here is / there is	вот	joke	анекдо́т
herring	селёдка	journal	журна́л
Hi!	Приве́т!	journalist	журнали́ст (-ка)
him	его́	juice	сок
to him, for him	ему́	July	ию́ль (m.)
his	его́	June	ию́нь (m.)
ice hockey	хокке́й	Just a minute!	Мину́точку!
holiday	пра́здник		
Holland	Голла́ндия	key	ключ
holy	свято́й	paraffin (adj.)	кероси́новый
(to) home	домо́й	kilometre	киломе́тр
(at) home	до́ма	kindergarten	де́тский сад
at your home	у вас / у тебя́	king	коро́ль (m.)
hospital	больни́ца	kiosk	кио́ск
hot (of food)	горя́чий	kitchen	ку́хня
hotel	гости́ница	Korea	Коре́я
house	дом	kremlin	кремль (m.)
how	как		
How are things?	Как дела́?	labour	труд
how much?	ско́лько?	lake	о́зеро
humor	ю́мор	lamp	ла́мпа
Hurry up!	Скоре́е!	laptop	лэпто́п
husband	муж	last name	фами́лия
		at last	наконе́ц
I	я	late	по́здно
ice cream	моро́женое	lawyer	юри́ст
icon	ико́на	left	ле́вый
idea	иде́я	to the left	нале́во
if	е́сли	on the left	сле́ва
in	в (+ prep.)	lemon	лимо́н
independence	незави́симость	lemon (adj.)	лимо́нный
industrial	индустриа́льный	lemonade	лимона́д
inflation	инфля́ция	Let's ...	Дава́й ... / Дава́й(те) ...
information	информа́ция	Let's go! (on foot)	Пойдёмте!
initiative	инициати́ва	letter (correspondance)	письмо́
to insert	вста́вить (perf.)	letter (character)	бу́ква
instrument	инструме́нт	life	жизнь (f.)
interesting	интере́сный	light (adj.) (colour)	све́тлый
international	междунаро́дный	to listen	слу́шать / послу́шать
Internet	Интерне́т	a little bit	немно́жко
interval (theatre)	антра́кт	a little, not much	ма́ло
intimate	инти́мный	to live	жить (imp.)
invite	приглаша́ть /	living room	гости́ная
	пригласи́ть	to be located	находи́ться (imp.)
Ireland	Ирла́ндия	to look	смотре́ть / посмотре́ть
Irish (adj.)	ирла́ндский	a lot	мно́го
Irishman / woman	ирла́ндец / -ка	to love	люби́ть / полюби́ть
isn't it?	пра́вда?	love	любо́вь (f.)
it	он / она́ / оно́	(I) was lucky	(мне) повезло́
Italian (adj.)	италья́нский		
Italy	Ита́лия	main	гла́вный
		man	мужчи́на
jam	варе́нье	manager	ме́неджер
January	янва́рь (m.)	map	ка́рта / план
Japan	Япо́ния	March	март
Japanese (adj.)	япо́нский	margarine	маргари́н

market	ры́нок	it is necessary	на́до
to get married (man)	жени́ться (imp. or perf.)	needed	ну́жен / нужна́ /
to get married (woman)	вы́йти за́муж (perf.)		ну́жно / нужны́
mausoleum	мавзоле́й	nephew	племя́нник
May	май	new	но́вый
me	меня́	New Year tree	ёлка
for me / to me	мне	New Zealand	Новозела́ндия
with me	со мной	New Zealander	новозела́ндец /-ка
that means	зна́чит	newspaper	газе́та
media player	ме́диа-пле́ер	niece	племя́нница
to meet	встреча́ться /	nightingale	солове́й
	встре́титься	nineteen	девятна́дцать
meeting	встре́ча	ninety	девяно́сто
memorandum, memo	мемора́ндум	nice	прия́тный
menu	меню́	no	нет
method	ме́тод	not	не
microphone	микрофо́н	not far	недалеко́
milk	молоко́	note	заме́тка
millionaire	миллионе́р	notebook (computer)	ноутбу́к
mineral	минера́льный	nothing	ничего́
minus	ми́нус	noun	существи́тельное
mobile phone	моби́льный телефо́н,	November	ноя́брь (m.)
	моби́льник,	now	тепе́рь, сейча́с
	со́товый телефо́н	number	число́ / но́мер
model (of a car etc.)	моде́ль (f.)	numeral	ци́фра
moment	мину́тка, моме́нт	nurse (f.)	медсестра́
monastery	монасты́рь	nurse (m.)	медбра́т
Monday	понеде́льник	Nutcracker	Щелку́нчик
money	де́ньги (pl.)		
month	ме́сяц	oatmeal	овся́нка
moon	луна́	object	объе́кт
morning	у́тро	occupation	профе́ссия
in the morning	у́тром	October	октя́брь (m.)
Moscow (adj.)	моско́вский	of course	коне́чно
mother	мать	office	кабине́т / о́фис /
motorcycle	мотоци́кл		бюро́
mountain	гора́	officer	офице́р
museum	музе́й	often	ча́сто
music	му́зыка	oil, butter	ма́сло
musical	музыка́льный	crude oil	нефть (f.)
musician	музыка́нт	old	ста́рый
must not ...	нельзя́ ...	on	на (+ prep.)
my	мой / моя́ / моё /	once (upon a time)	как-то раз
	мой	one	оди́н
		one hundred	сто
family name	фами́лия	one o'clock	час
first name	и́мя	one-room (adj.)	одноко́мнатный
patronymic name	о́тчество	one's own / my own etc.	свой
my name is	меня́ зову́т	about oneself	о себе́
your name is	вас / тебя́ зову́т	only	то́лько
name (of towns, etc.)	назва́ние	open	откры́т
national	национа́льный	opera	о́пера
nationality	гражда́нство	opposite	напро́тив (+ gen.)
natural	натура́льный	optimist	оптими́ст
near	бли́зко	or	и́ли
nearby	ря́дом	an orange	апельси́н

order	порядок	post, post office	почта
organ (instrument)	орган	post code	почтовый индекс
organisation	организация	postman	почтальон
our	наш	potato	картошка /
outside, outdoors	на улице		картофель (m.)
		pound	фунт
page	страница	practice	практика
pancake	блин	a present	подарок
Paradise	рай	President	президент
park	парк	printer	принтер
partner	партнёр	probably	наверно
a pass	пропуск	problem	проблема
passenger	пассажир	professional	профессиональный
passer-by	прохожий / -ая	professor	профессор
passport	паспорт	programme	программа
passport (adj.)	паспортный	programme (theatre)	программка
past (adj.)	прошедший	programmer	программист
patronymic name	отчество	project	проект
to pay for	оплачивать /	proposal	предложение
	оплатить	protector	защитник
payment	оплата	provincial	провинциальный
people	народ	public phone	таксофон
people's	народный	purpose	цель (f.)
percent	процент		
perestroika	перестройка	qualification	квалификация
perfume shop	парфюмерия	question	вопрос
perhaps	может быть	questionnaire	анкета
period	период	quite	совсем
person	человек		
petrol	бензин	radio	радио
to phone	звонить	railway (adj.)	железнодорожный
photocopier	ксерокс	rather	довольно
photograph	фотография	to read	читать / прочитать
upright piano	пианино	reading	чтение
grand piano	рояль (m.)	real	настоящий
picture	картина	really	действительно
pie	пирог	red	красный
pineapple	ананас	registration	регистрация
plan	план	relative	родственник / -ца
plane	самолёт	to remember	помнить / вспомнить
planet	планета	repairs	ремонт
to play	играть	reply, answer	ответ
play (theatre)	пьеса	reporter	репортёр
to please	нравиться /	to rest	отдыхать /
	понравиться		отдохнуть
please	пожалуйста	restaurant	ресторан
pleasure	удовольствие	to return	возвращаться /
plus	плюс		вернуться
poem	стихотворение	revolution	революция
Poland	Польша	rich	богатый
police	полиция	right (short adj.)	прав / права / правы
polyclinic	поликлиника	to the right	направо
Polish (adj.)	польский	on the right	справа
political	политический	river	река
porch	веранда	river (adj.)	речной
Portugal	Португалия	roasted / fried	жареный

role	роль (f.)	signature	по́дпись (f.)
romantic	романти́чный	sister	сестра́
Rome	Рим	Sit down!	Сади́тесь!
room	ко́мната	six	шесть
hotel room	но́мер	sixteen	шестна́дцать
row	ряд	sixty	шестьдеся́т
rouble	рубль (m.)	skis	лы́жи
rucksack	рюкза́к	sledge	са́нки
to run	бе́гать	to sleep	спать
rupee	ру́пия	small table	сто́лик
Russia	Росси́я	smart phone	смартфо́н
Russian	ру́сский, росси́йский	to smile	улыба́ться / улыбну́ться
a Russian	ру́сский / ру́сская	to smoke	кури́ть / покури́ть
a safe	сейф	snack bar	буфе́т
a Saint	свято́й	snow	снег
salad	сала́т	so	так
salami sausage	колбаса́	So long!	Пока́!
samovar	самова́р	football	футбо́л
satnav	навига́тор	footballer	футболи́ст
Saturday	суббо́та	sofa	дива́н
sauce	со́ус	soloist	соли́ст
saxophone	саксофо́н	son	сын
to say	говори́ть / сказа́ть	I'm sorry!	Прости́те!
school	шко́ла	soup	суп
Scotland	Шотла́ндия	souvenir	сувени́р
Scotsman / -woman	шотла́ндец /-ка	Soviet	сове́тский
seat / place	ме́сто	space	ко́смос
second	второ́й	Spain	Испа́ния
secret	секре́т	Spanish (adj.)	испа́нский
secret (adj.)	секре́тный	to speak	говори́ть / поговори́ть
secretary	секрета́рь (m.)	specialist	специали́ст
to see	ви́деть / уви́деть	sponsor	спо́нсор
it seems	ка́жется (imp.)	sport	спорт
self-portrait	автопортре́т	spring	весна́
seminar	семина́р	a square	пло́щадь (f.)
to send	посыла́ть / посла́ть	stadium	стадио́н
sentence (gram.)	предложе́ние	stalls (theatre)	парте́р
September	сентя́брь (m.)	to start (something)	заводи́ть (imp.)
seven	семь	starter	заку́ска
seventeen	семна́дцать	state (national) (adj.)	госуда́рственный
seventy	се́мьдесят	station (main)	вокза́л
shashlyk	шашлы́к	station (small)	ста́нция
What a shame!	Как жаль!	status	ста́тус
she	она́	to stay, stop	останови́ться
shed	сара́й	store	магази́н
shelf	по́лка	stove	печь (f.)
shop	магази́н	straight ahead	пря́мо
show	спекта́кль (m.)	street	у́лица
shower	душ	student	студе́нт / -ка
Siberia	Сиби́рь (f.)	sturgeon	осетри́на
Siberian	сиби́рский	subway	метро́
side street	переу́лок	suddenly	вдруг
sign	на́дпись (f.)	suitcase	чемода́н

summer	ле́то	time, occasion	раз
summer house	да́ча	it's time	пора́
Sunday	воскресе́нье	What time is it?	Кото́рый час?
supper	у́жин	time zone	часово́й по́яс
to have supper	у́жинать / поу́жинать	tired	уста́л
surprise	сюрпри́з	to, into	в (+ acc.)
sweet (adj.)	сла́дкий	to, onto	на (+ acc.)
to swim	пла́вать (imp.)	today	сего́дня (sivodnya)
Switzerland	Швейца́рия	together	вме́сте
system	систе́ма	toilet	туале́т
		token	жето́н
table	стол	tomato	помидо́р
tasty	вку́сный	tomato (adj.)	тома́тный
taxi	такси́	tomorrow	за́втра
taxi driver	такси́ст	tourism	тури́зм
taxi rank	стоя́нка такси́	tourist	тури́ст / -ка
tea	чай	towards	к (+ dat.)
teacher	учи́тель / -ница	town	го́род
telegraph office	телегра́ф	tractor driver	тракто́рист
telephone	телефо́н	traditional	традицио́нный
television tower	телеба́шня	train	по́езд
telex	те́лекс	tram	трамва́й
to tell	расска́зывать /	transit	транзи́т
	рассказа́ть	translation	перево́д
		transportation	перево́зка
Tell (me)!	Скажи́те!	trolleybus	тролле́йбус
temple	храм	trombone	тромбо́н
ten	де́сять	trumpet	труба́
tennis	те́ннис	the truth	пра́вда
terminal	термина́л	tsar	царь (m.)
terminology	терминоло́гия	Tuesday	вто́рник
text	текст	Turkmenian	туркме́нский
text message	смс	TV set	телеви́зор
to thank	благодари́ть /	twelve	двена́дцать
	поблагодари́ть	twenty	два́дцать
thank you	спаси́бо	two	два
theatre	теа́тр	type	вид
their	их	typical	типи́чный
them	их (acc.)		
then	пото́м	Ukraine	Украи́на
then, in that case	тогда́	Ukrainian	украи́нец / -ка
there (at)	там	Ukrainian (adj.)	украи́нский
there (to)	туда́	uncle	дя́дя
these	э́ти	to understand	понима́ть /
thing	вещь (f.)		поня́ть
to think	ду́мать (imp.)	unfortunately	к сожале́нию
thirteen	трина́дцать	unity	еди́нство
thirty	три́дцать	universal	универса́льный
this	э́тот / э́та / э́то	university	университе́т
this evening	сего́дня ве́чером	until	до (+ gen.)
three	три	upstairs	наверху́
three-horse sledge	тро́йка	USA	США
three hundred	три́ста	usual	обы́чный
Thursday	четве́рг		
ticket	биле́т	vegetable	о́вощ
time	вре́мя	vegetable garden	огоро́д

vegetarian	вегетариа́нец / -ка	to want	хоте́ть
verb	глаго́л		
very	о́чень	year	год
victory	побе́да	yen	ие́на
view	вид	yes	да
village	дере́вня	yesterday	вчера́
violin	скри́пка	yoghurt	йо́гурт
visa	ви́за	you (polite or plural)	вы
visiting card	визи́тка	you (familiar)	ты
vodka	во́дка	you (object)	вас / тебя́
volleyball	волейбо́л	for you	вам / тебе́
			для вас / для тебя́
to wait	ждать	to you	вам / тебе́
waiter / waitress	официа́нт / -ка	with you	с ва́ми / с тобо́й
Wales	Уэ́льс	young	молодо́й
wall	стена́	your	ваш / твой
waltz	вальс	yuan	юа́нь
Warsaw	Варша́ва		
a watch	часы́	zebra	зе́бра
to watch	смотре́ть /	zero	ноль (m.)
	посмотре́ть	zoo	зоопа́рк
water	вода́		
we	мы		
web camera	веб-ка́мера		
Wednesday	среда́		
week	неде́ля		
a well	коло́дец		
well known	изве́стный		
Well! (exclamation)	Ну!		
Welshman / -woman	валли́ец / валли́йка		
western	за́падный		
what / that	что		
What is ...?	Что тако́е ...?		
what kind of	како́й		
when	когда́		
where (at)	где		
where (to)	куда́		
which	кото́рый		
while	пока́		
white	бе́лый		
who	кто		
why	почему́		
wife	жена́		
will be	бу́ду, бу́дет etc.		
window	окно́		
wine	вино́		
with	с (+ instr.)		
women's	же́нский		
wonderful	прекра́сный		
wooden	деревя́нный		
word	сло́во		
work	рабо́та		
to work	рабо́тать		
to write down	записа́ть (perf.)		
writing (adj.)	пи́сьменный		
it is written	напи́сано		

RUSSIAN - ENGLISH DICTIONARY

This section contains the vocabulary in this book, plus some additional vocabulary for the Ruslan 1 multimedia CD-ROM. Where words have more than one meaning, the meaning or meanings used in this book have been given.

а	and, but
авиакомпáния	airline
Австрáлия	Australia
австралúец / -úйка	an Australian
автóбус	bus
автопортрéт	self-portrait
áдрес	adress
администрáтор	administrator
аккордеóн	accordion
актёр	actor
аллергúя	allergy
Аллó!	Hello! (on the phone)
Амéрика	America
америкáнец / -ка	an American
америкáнский	American (adj.)
аналúтик	analyst
ананáс	pineapple
англичáнин / -ка	Englishman / woman
англúйский	English (adj.)
Англия	England
анекдóт	anecdote / joke
анкéта	questionnaire
антрáкт	interval (theatre)
апельсúн	an orange
аперитúв	aperitif
апрéль	April (m.)
арáбский	Arabian (adj.)
аргумéнт	argument (reason)
арифмéтика	arithmetic
áрмия	army
артúст	artist (performing)
аспирúн	aspirin
афгáнский	Afghan (adj.)
аэропóрт	airport
бáбушка	grandmother
багáж	baggage
бадминтóн	badminton
балалáйка	balalaika
балéт	ballet
балкóн	balcony
Бáлтика	the Baltic
банáн	banana
банк	bank (money)
банкúр	banker
банкомáт	cash machine, ATM
бар	bar
барабáн	drum
баскетбóл	basketball
бéгать	to run
бейсбóл	baseball
бéлый	white

Бéльгия	Belgium
бельэтáж	dress circle
бензúн	petrol
бесплáтный	free (of charge)
бéрег	bank (river etc.)
бефстрóганов	beef Stroganoff
бúзнес	business
бизнесмéн	businessman / -person
билéт	ticket
благодарúть (imp.)	to thank
бланк	form
блúзко	near
блин	pancake
блýзка	blouse
блюдо	dish, course (of a meal)
богáтый	rich
большóй	big
больнúца	hospital
борщ	beetroot soup
ботанúческий	botanical
бразúльский	Brazilian
брат	brother
британский	British
бýква	letter (character)
бýду, бýдет etc.	will be
бутúлка	bottle
буфéт	snack bar
бúвший	former
быть (imp.)	to be
бюджéт	budget
бюрó	bureau, office
в (+ acc.)	to / into
в (+ prep.)	at / in
вальс	waltz
валюта	hard currency
вам	for you / to you
Варшáва	Warsaw
варéнье	jam
вас	you (object)
вас зовýт	your name is
ваш / вáша etc.	your
вдруг	suddenly
веб-кáмера	web camera
вегетариáнец / -ка	vegetarian
вездé	everywhere
велосипéд	bicycle
верáнда	porch
веснá	spring
вéчер	evening
вещь (f.)	thing, item
вид	type / view

ви́деть	to see	голла́ндский	Dutch
ви́за	visa	Голла́ндия	Holland
визи́тка	visiting card	гольф	golf
вино́	wine	гора́	hill, mountain
виолонче́ль (f.)	cello	го́род	town
вку́сный	tasty	горя́чий	hot (of food)
вме́сте	together	гости́ная	living room
внизу́	downstairs	гости́ница	hotel
внима́ние	attention	гость (m.)	guest
внук	grandson	госуда́рственный	state (adj.)
вну́чка	granddaughter	граждани́н / -а́нка	citizen
вода́	water	гражда́нство	nationality
во́дка	vodka	грамм	gram
возвраща́ться	to return	Гре́ция	Greece
вокза́л	station (main)	гре́ческий	Greek (adj.)
Во́лга	Volga	гри́вна	grivna (Ukrainian currency)
волейбо́л	volleyball	грузи́н / -ка	a Georgian
вопро́с	question	грузи́нский	Georgian (adj.)
воро́та	gates	Гру́зия	Georgia
восемна́дцать	eighteen		
во́семь	eight	да	yes / but
во́семьдесят	eighty	Да-да!	Yes! (With emphasis)
воскресе́нье	Sunday	Дава́й(те) ...	Let's ...
вот	here is / there is	давно́	for a long time
Вот как!	Oh, really!	да́же	even
врач	doctor	Да́йте ...!	Give ... !
вре́мя	time	далеко́	far
все	everybody / all	Да́ния	Denmark
всегда́	always	дартс	darts
всё	everything / all	да́та	date
всё в поря́дке	everything is OK	да́тельный	dative
вста́вить (perf.)	to insert	дать	to give
встре́титься (perf.)	to meet	да́ча	summer house
встре́ча	meeting	два	two
вто́рник	Tuesday	два́дцать	twenty
второ́й	second	двена́дцать	twelve
вчера́	yesterday	де́вушка	girl, young lady
вы	you (polite or plural)	де́вочка	young girl
вы́брать (perf.)	to choose	девяно́сто	ninety
вы́дача багажа́	luggage reclaim	девятна́дцать	nineteen
вы́ставка	exhibition	Дед Моро́з	Father Frost
вы́ход	exit (pedestrian)	де́душка / дед	grandfather
выходно́й	day off	дежу́рный / -ая	attendant
		действи́тельно	really
газ	gas	дека́брь (m.)	December
газе́та	newspaper	деклара́ция	declaration
гармо́нь (m.)	harmonica	де́лать	to do
где	where (at)	де́ло	business
генера́тор	generator	день	day
Герма́ния	Germany	день рожде́ния	birthday
гита́ра	guitar	де́ньги	money
гитари́ст	guitarist	дере́вня	village / countryside
гла́вный	main	деревя́нный	wooden
глаго́л	verb	десе́рт	dessert
говори́ть	to say / to speak	де́сять	ten
год	year	де́ти	children

де́тский	children's	журна́л	journal
де́тский сад	kindergarten	журнали́ст (-ка)	journalist
диало́г	dialogue		
дива́н	sofa, couch	забы́ть (perf.)	to forget
диктату́ра	dictatorship	заводи́ть (imp.)	to start (something)
дирижёр	conductor	за́втра	tomorrow
для (+ gen.)	for	за́втрак	breakfast
до (+ gen.)	until / as far as / up to	зада́ть вопро́с (perf.)	to ask a question
До свида́ния!	Good bye!	заказа́ть (perf.)	to book, to order
До́брое у́тро!	Good morning!	зака́зывать (imp.)	to book
До́брый ве́чер!	Good evening!	зако́нчить (perf.)	to complete
дово́льно	rather, quite	закры́т	closed
докуме́нт	document	заку́ска	starter
до́ктор	doctor (form of address)	зал	hall (large room)
до́лго	for a long time	заливно́й	in aspic
до́ллар	dollar	заме́тка	note
дом	house / block of flats	вы́йти за́муж	to get married (woman)
домино́	dominoes	за́нят	busy
дорого́й	dear / expensive	за́падный	western
достиже́ние	achievement	записа́ть (perf.)	to write down
дочь	daughter	запо́лнить (perf.)	to fill in
друг	friend	защи́тник	protector
друго́й	another	звони́ть	to call, to phone
друзья́	friends	зда́ние	building
ду́мать	to think	здесь	here
душ	shower	Здра́вствуйте!	Hello!
дя́дя	uncle	зе́бра	zebra
		земля́	the Earth, soil
Евро́па	Europe	знако́м	acquainted
е́вро	euro / euros	знако́мый / -ая	acquaintance
Еги́пет	Egypt	зна́чит	that means
его́	him	Зо́лушка	Cinderella
его́	his	зоопа́рк	zoo
еди́нство	unity		
её	her (possessive)	и	and
её	her (object)	игра́ть	to play
е́здить	to go (regularly, transport)	иде́я	idea
ей	to her, for her	Иди́те!	Go! / Come!
ему́	to him, for him	идти́	to go (on foot)
е́сли	if	иена	yen
есть	there is	из (+ gen.)	from
е́хать	to go (transport)	изве́стный	well known
ещё	again / else	Извини́те!	Excuse (me)!
ёлка	New Year tree	ико́на	icon
		икра́	caviare
Как жаль!	What a shame!	и́ли	or
жа́реный	roasted	и́мя	first name
ждать	to wait	индустриа́льный	industrial
же	then (adds emphasis)	инициати́ва	initiative
железнодоро́жный	railway (adj.)	инжене́р	engineer
жена́	wife	иностра́нец / -ка	foreigner
жени́ться	to get married (man)	инструме́нт	instrument
же́нский	women's	интере́сно	it is interesting
жето́н	token	интере́сный	interesting
жить	to live	Интерне́т	Internet
жизнь (f.)	life	инти́мный	intimate

инфинитив	infinitive	клуб	club
инфляция	inflation	ключ	key
информация	information	книга	book
Ирландия	Ireland	книжный	book (adj.)
ирландец / -ка	Irishman / woman	ковёр	carpet
ирландский	Irish (adj.)	когда	when
Испания	Spain	колбаса	salami sausage
испанский	Spanish (adj.)	коллега	colleague
Италия	Italy	колодец	a well
итальянский	Italian (adj.)	командировка	business trip
их	their	комитет	committee
июль (m.)	July	комментарий	commentary
июнь (m.)	June	комната	room
		компакт-диск	compact disk
йогурт	yoghurt	компьютер	computer
		конечно	of course
к (+ dat.)	towards	консультант	consultant
к нам	to our place	контрабас	double bass
к сожалению	unfortunately	контроль (m.)	control / check
кабинет	office	кончаться	to finish
каждый	every, each	коньяк	cognac
кажется	it seems	Корея	Korea
как	how	коридор	corridor
Как дела?	How are things?	король (m.)	king
как-то раз	once (upon a time)	космонавт	cosmonaut
какой	what kind of / which	космос	space
калькулятор	calculator	костёр	campfire
камкордер	camcorder	кот	cat
камин	fireplace	котлета	burger
Канада	Canada	Который час?	What's the time?
канадец / -ка	a Canadian	коттедж	detached house
канадский	Canadian (adj.)	кофе (m./n.)	coffee
канал	canal	красивый	beautiful
карта	card / map	красный	red
картина	picture	кредитный	credit (adj.)
карточка	card	кремль (m.)	kremlin, fortress
картофель (m.)	potato	крепость (f.)	fortress
картошка	potato (familiar)	кресло	armchair
каскад	cascade	крейсер	cruiser
касса	cash desk / window	кризис	crisis
категория	category	критерий	criterion
кафе	cafe	ксерокс	xerox
квалификация	qualification	кто	who
квартира	flat	Куба	Cuba
километр	kilometre	куда	where (to)
кино	the cinema	культурный	cultured / cultural
кинокритик	cinema critic	купить (perf.)	to buy
кинотеатр	a cinema	курить	to smoke
киоск	kiosk	курс	course
Китай	China	кухня	kitchen / cuisine
китайский	Chinese (adj.)		
кладбище	cemetery	ладно	fine, all right
клоун	clown	лампа	lamp
кларнет	clarinet	левый	left
классический	classical	легко	it is easy
клиент	client	лес	forest

ле́то	summer	монасты́рь (m.)	monastery
лимо́н	lemon	моро́з	frost
лимона́д	lemonade	моро́женое	ice cream
лимо́нный	lemon (adj.)	моско́вский	Moscow (adj.)
лови́ть	to catch	мост	bridge
ло́жа	box (theatre)	мотоци́кл	motorcycle
луна́	moon	мочь	to be able to
лу́чше	better	муж	husband
лы́жи	skis	мужчи́на	man
лэпто́п	laptop	музе́й	museum
люби́ть	to love	му́зыка	music
любо́вь (f.)	love	музыка́льный	musical
		музыка́нт	musician
мавзоле́й	mausoleum	мультфи́льм	cartoon film
магази́н	store, shop	мы	we
май	May		
ма́ло	little, not much	на (+ acc.)	to / onto
маргари́н	margarine	на (+ prep.)	at / on
март	March	на по́езде	by train, rail
ма́сло	oil / butter	на са́мом де́ле	in fact
мать	mother	на у́лице	outside
ме́бель (f.)	furniture	наве́рно	probably
медбра́т	male nurse	наверху́	upstairs
медве́дь (m.)	bear	навига́тор	satnav
ме́диа-пле́ер	media player	на́до	it is necessary
медпу́нкт	first aid station	Не на́до!	Don't!
медсестра́	nurse (f.)	на́дпись (f.)	sign
междунаро́дный	international	нажа́ть (perf.)	to click, to press
мемора́ндум	memorandum, memo	наза́д	(go) back
ме́неджер	manager	найти́ (perf.)	to find
меню́	menu	назва́ние	name (of towns, etc.)
меня́	me	наконе́ц	at last
меня́ зову́т	my name is	нале́во	to the left
ме́тод	method	напи́сано	written
ме́сто	seat / place	напи́ток	a drink
ме́сяц	month	напра́во	to the right
метро́	metro, underground	наприме́р	for example
мечта́	dream (daydream)	напро́тив (+ gen.)	opposite
микрофо́н	microphone	нарко́тик	drug / drugs (narcotic)
миллионе́р	millionaire	наро́д	people
минера́льный	mineral	наро́дный	people's
Мину́точку!	Just a minute!	настоя́щий	present (time) / real
ми́нус	minus	нату́ра́льный	natural
ми́тинг	demonstration, rally	находи́ться	to be located
мне	for me / to me	национа́льный	national
мно́го	a lot, many	нача́ло	beginning
моби́льник	mobile phone	начина́ться	to begin
моби́льный	mobile	наш	our
моде́ль (f.)	model (of a car etc.)	не	not
мо́жет быть	perhaps	недалеко́	not far
мо́жно	it is possible	неде́ля	week
мой	my	незави́симость (f.)	independence
молоде́ц	good boy / girl	нельзя́	not allowed, must not
Молоде́ц!	Well done!	не́мец / не́мка	a German
молодо́й	young	неме́цкий	German (adj.)
молоко́	milk	немно́жко	a little bit

нет	no	о́тчество	patronymic name
Нет-нет!	No! (With emphasis)	о́фис	office
нефть (f.)	crude oil	офице́р	officer
ничего́	nothing / all right	официа́нт / -ка	waiter / waitress
но	but	о́чень	very
новозела́ндец /-ка	New Zealander		
Новозела́ндия	New Zealand	парк	park
но́вый	new	парте́р	stalls (theatre)
ноль (m.)	zero	партнёр	partner
но́мер	hotel room / number	парфюме́рия	perfume shop
ноутбу́к	notebook (computer)	па́спорт	passport
ноя́брь (m.)	November	па́спортный	passport (adj.)
нра́виться	to please	пассажи́р	passenger
Ну!	Well! (exclamation)	пельме́ни	dumplings
ну́жен	needed	пе́рвый	first
		перево́д	translation
о (+ prep.)	about	перево́зка	transportation
о себе́	about oneself	переговóрный	for meetings (adj.)
обе́д	dinner / main meal	переры́в	a break
обе́дать	to have dinner	перестро́йка	perestroika
обме́н	exchange	переу́лок	side street
обсуди́ть (perf.)	to discuss	перехо́д	pedestrian crossing
объе́кт	object		subway crossing
обы́чный	usual	пери́од	period
о́вощ	vegetable	пешко́м	on foot
овся́нка	oatmeal	печь (f.)	stove
огоро́д	vegetable garden	пиани́но	upright piano
оде́жда	clothing	пи́во	beer
оди́н	one / alone	пиро́г	pie
оди́ннадцать	eleven	пи́сьменный	writing (adj.)
однокóмнатный	one-room (adj.)	письмо́	letter (correspondance)
о́зеро	lake	пла́вать	to swim
окно́	window	план	plan / map
окро́шка	clear soup (cold, made with kvas or kefir)	плане́та	planet
		племя́нник	nephew
октя́брь	October	племя́нница	niece
он	he / it	пло́хо	it is bad
она́	she / it	плохо́й	bad
оно́	it	пло́щадь (f.)	square
о́пера	opera	плюс	plus
опла́та	payment	по (+ dat.)	along
опла́чивать	to pay for	по-англи́йски	in English
оптими́ст	optimist	по-ру́сски	in Russian
орга́н	organ (instrument)	по де́лу	on business
организа́ция	organisation	по по́воду	in connection with
осетри́на	sturgeon	побе́да	victory
останови́ться	to stay	повезло́	was lucky
от (+ gen.)	from	по́греб	store under floor
отве́т	reply, answer	пода́рок	a present
отдыха́ть	to rest	подва́л	basement
оте́ц	father	по́дпись (f.)	signature
оте́чество	fatherland	подру́га	female friend
откры́т	open	по́езд	train
отли́чный	excellent	пожа́луйста	please (take it) / you're welcome
отправле́ние	departure		
отсю́да	from here	по́здно	late

Пойдёмте!	Let's go! (on foot)
пока	while / for now
Пока!	So long!
покупать	to buy
поликлиника	polyclinic
политический	political
полиция	police
полка	shelf
польский	Polish
Польша	Poland
помидор	tomato
помнить	to remember
помощь (f.)	help
понедельник	Monday
понимать	to understand
пора	it's time
Португалия	Portugal
портфель (m.)	briefcase
порядок	order
после (+ gen.)	after
посмотреть (perf.)	to have a look at
построить (perf.)	to build
посылать	to send
потом	then
потому что	because
похоронен	is buried
почему	why
почта	mail, post office
почтальон	postman
почти	almost
почтовый индекс	post code
пояс	belt / zone
прав	right (short adj.)
правда	the truth
правда?	isn't it? / right?
Правда	Pravda (newspaper)
правильный	correct (adj.)
праздник	holiday
практика	practice
предложение	sentence (gram.) / proposal
президент	President
прекрасный	wonderful
прибытие	arrival
привет	greeting
Привет!	Hi!
приглашать	to invite
приезд	arrival (by vehicle)
Приезжайте!	Come! (by vehicle)
приехать (perf.)	to arrive (by vehicle)
прилёт	arriving flight, arrival
Принесите!	Bring!
принимать	to accept
приносить	to bring
принтер	printer
прихожая	entrance hall

приятный	nice, pleasant
проблема	problem
провинциальный	provincial
программа	programme / program
программист	programmer
программка	theatre programme
продолжение	continuation
продукты	food products
проект	project
пропуск	a pass
просить	to ask (a request, favour)
прослушать (perf.)	to listen
проспект	avenue
Простите!	I'm sorry!
профессиональный	professional
профессия	occupation
профессор	professor
прочитать (perf.)	to read
Проходите!	Come through!
прохожий / -ая	passer-by
процент	percent
прошедший	past (adj.)
прямо	straight ahead
пьеса	play (theater)
пятнадцать	fifteen
пятница	Friday
пять	five
пятьдесят	fifty
работа	work
работать	to work
рад	glad
радио	radio
раз	time, occasion
рай	Paradise
рано	early
раньше	before
рассказать (perf.)	to tell
революция	revolution
регистрация	registration / check-in
рейс	flight
река	river
ремонт	repairs
репортёр	reporter
ресторан	restaurant
речной	river (adj.)
Рим	Rome
родственник / -ца	relative
рождение	birth
Рождество	Christmas
роль (f.)	role
романтичный	romantic
Россия	Russia
российский	Russian
рояль (m.)	grand piano
рубль (m.)	rouble

рýпия	rupee
рýсский	Russian
рыба	fish
рынок	market
рюкзáк	rucksack
ряд	row
рядом	nearby
С (+ gen.)	from (a time)
С (+ instr.)	with
сад	garden
Садúтесь!	Sit down!
саксофóн	saxophone
салáт	salad / lettuce
самовáр	samovar
самолёт	plane
сáнки	sledge
сапогú	boots
сарáй	shed
свéтлый	light (in colour)
свобóдный	free (unencumbered)
свой	one's own / my own etc.
святóй	holy
святóй	a saint
сегóдня (sivodnya)	today
сегóдня вéчером	this evening
сейф	a safe
сейчáс	now, just a moment
секрéт	a secret
секретáрь (m.)	secretary
секрéтный	secret (adj.)
селёдка	herring
семинáр	seminar
семнáдцать	seventeen
семь	seven
сéмьдесят	seventy
семья́	family
сентя́брь	September
сертификáт	certificate
сестрá	sister
сибúрский	Siberian
Сибúрь (f.)	Siberia
систéма	system
Скажúте!	Tell!
сказáть	to say
скóлько?	how much?
скорéе	more quickly
Скорéе!	Hurry up!
скрúпка	violin
слáдкий	sweet (adj.)
слéва	on the left
слéдовать	to follow
словáрь (m.)	dictionary
слóво	word
слýшать	to listen
слышать	to hear

слышно	audible
смартфóн	smart phone
смотрéть	to look at
сначáла	to start with
снег	snow
Снегýрочка	the Snowmaiden
собирáться	to gather together
собóр	cathedral
совéтский	Soviet
совсéм	quite
содержáние	content
сок	juice
солúст	soloist
соловéй	nightingale
соля́нка	soup with ingredients that include pickled or salted cucumbers
сóрок	forty
сóтовый телефóн	mobile phone
сóус	sauce
спáльня	bedroom
спасúбо	thank you
спать	to sleep
спектáкль (m.)	show
специалúст	specialist
Спокóйной нóчи!	Good night!
спóнсор	sponsor
спорт	sport
спрáва	on the right
спрáшивать	to ask
средá	Wednesday
стадиóн	stadium
стáнция	station (small)
стáрый	old
стáтус	status
стенá	wall
стихотворéние	poem
сто	one hundred
стóить	to cost
стол	table
стóлик	small table
столúца	capital city
столóвая	dining room
стоя́нка таксú	taxi rank
странá	country
странúца	page
студéнт	student
студéнтка	female student
стул	chair
стýлья	chairs
стюардéсса	air hostess
суббóта	Saturday
сувенúр	souvenir
сýмка	handbag
суп	soup
счёт	bill

а
б
в
г
д
е
ё
ж
з
и
й
к
л
м
н
о
п
р
с
т
у
ф
х
ц
ч
ш
щ
ъ
ы
ь
э
ю
я

США	USA	узна́ть (perf.)	to find out
сын	son	уже́	already
сыр	cheese	у́жин	supper
сюрпри́з	surprise	у́жинать	to have supper
		Украи́на	Ukraine
табло́	display board	украи́нец / -ка	a Ukrainian
так	so / in this way	украи́нский	Ukrainian (adj.)
та́кже	also	у́лица	street
такси́	taxi	на у́лице	in the street / outdoors
такси́ст	taxi driver	улыба́ться	to smile
таксофо́н	public phone	универса́льный	universal
там	there (at)	университе́т	university
тамо́жня	customs	упражне́ние	exercise
тамо́женник	customs officer	уста́л	tired
теа́тр	theatre	у́тро	morning
текст	text	у́тром	in the morning
телеба́шня	television tower	учи́тель	teacher
телеви́зор	TV set	Уэ́льс	Wales
телегра́ф	telegraph office		
те́лекс	telex	факс	fax
телефо́н	telephone	факт	fact
те́ннис	tennis	фами́лия	family name, last name
термина́л	terminal	февра́ль (m.)	February
терминоло́гия	terminology	федера́ция	federation
тепе́рь	now	фи́рма	firm
тётя	aunt	флаг	flag
типи́чный	typical	фле́йта	flute
тогда́	then, in that case	фойе́	foyer
то́же	also	фотоаппара́т	camera
то́лько	only	фотогра́фия	photograph
тома́тный	tomato (adj.)	Фра́нция	France
традицио́нный	traditional	францу́зский	French
тракто́рист	tractor driver	фрукт	a fruit
трамва́й	tram	фрукто́вый	fruit (adj.)
транзи́т	transit	фунт	pound
три	three	футбо́л	football
три́дцать	thirty	футболи́ст	footballer
трина́дцать	thirteen		
три́ста	three hundred	хлеб	bread
тро́йка	three-horse sledge	ходи́ть	to go (regularly, by foot)
тролле́йбус	trolleybus	хозя́йство	economy
тромбо́н	trombone	хокке́й	ice hockey
труба́	trumpet / pipe	холоди́льник	fridge
труд	labour	холо́дный	cold (adj.)
туале́т	toilet	хор	choir
туда́	there (to)	хоро́ший	good
тури́зм	tourism	хорошо́	it is good / agreed, OK
тури́ст / -ка	tourist	хоте́ть	to want
туркме́нский	Turkmenian	храм	temple
ты	you (familiar)	худо́жественный	art (adj.)
у вас	you have / at your home	царь (m.)	tsar
у меня́	I have / at my home	цветно́й	coloured
удо́бный	comfortable / convenient	цель (f.)	purpose
удо́бство	convenience / facility	цеме́нт	cement
удово́льствие	pleasure	центр	centre

центра́льный	central	я	I
цирк	circus	я́блоко	apple
ци́фра	digit	я́года	berry
цыплёнок	young chicken	янва́рь	January
		Япо́ния	Japan
чай	tea	япо́нский	Japanese (adj.)
час	an hour / one o'clock	я́рус	circle (in the theatre)
часово́й по́яс	time zone		
ча́сто	often		
часы́	clock, watch		
челове́к	person / people (with numbers)		
чемода́н	suitcase		
чемпио́н	champion		
черда́к	attic		
чёрный	black		
четве́рг	Thursday		
четы́ре	four		
четы́рнадцать	fourteen		
число́	date / number		
чита́ть	to read		
чте́ние	reading		
что	what / that		
Что тако́е ...?	What is ...?		

шампа́нское	champagne
ша́пка	fur hat
ша́хматы	chess
шашлы́к	shashlyk
Швейца́рия	Switzerland
шестна́дцать	sixteen
шесть	six
шестьдеся́т	sixty
шко́ла	school
шокола́д	chocolate
шотла́ндец /-ка	Scotsman / -woman
Шотла́ндия	Scotland
шофёр	driver
шту́ка	piece
Щелку́нчик	Nutcracker
щи	cabbage soup

эконо́мика	economy
экономи́ст	economist
экспе́рт	expert
экспре́сс	express
электри́чество	electricity
электро́нная по́чта	email
эскала́тор	escalator
эта́ж	floor
э́то	this
эффе́кт	effect

юа́нь	yuan (Chinese currency)
ю́мор	humour
юри́ст	lawyer

а
б
в
г
д
е
ё
ж
з
и
й
к
л
м
н
о
п
р
с
т
у
ф
х
ц
ч
ш
щ
ъ
ы
ь
э
ю
я

Learn more Russian with ...

Ruslan Russian 2
10 lessons, continuing the storyline of Ruslan
Russian 1. Council of Europe A2 level.
Ruslan 2 course book   ISBN 9781899785483
Ruslan 2 book with CD ISBN 9781899785520
Ruslan 2 audio CD   ISBN 9781899785490
Ruslan 2 work book   ISBN 9781899785230

Ruslan Russian 3
10 lessons, with a wealth of historical and
cultural information. The Ruslan characters
are in Siberia and the story continues.
Council of Europe B1 and B2.
Ruslan 3 course book   ISBN 9781899785407
Ruslan 3 audio CD set ISBN 9781899785414

The Ruslan Russian Grammar
An interactive presentation bringing
together the grammar of the three levels
of the Ruslan course and adding greater
detail. 256 pages of explanations,
pictures, songs, poems and exercises,
with answers on the audio CD.
Ruslan Russian Grammar ISBN 9781899785742

The Ruslan Russian Songbook
24 folk songs, romances, war songs
and songs from films of the 1930s and
1940s, sung by students from the
Gnessins Music College in Moscow.
Notes, vocabularies, translations and
an audio CD.
Ruslan Russian Songbook   ISBN 9781899785261

www.ruslan.co.uk